Collection
PROF
dirigée par

Série
PROF

L'Avare (1668)

MOLIÈRE

Résumé
Personnages
Thèmes

SYLVIE DAUVIN
agrégée des lettres

JACQUES DAUVIN
agrégé des lettres

HATIER

Dans la collection « Profil », titres à consulter dans le prolongement de cette étude sur *L'Avare*.

• Sur Molière et son œuvre

– *Histoire de la littérature en France au XVII⁰ siècle* (« Histoire littéraire », **120**) ; p. 74-78.
– *Mémento de la littérature française* (« Histoire littéraire », **128-129**) ; p. 44-45.

• Sur le thème de l'argent

– BEAUMARCHAIS, *Le Mariage de Figaro* (« Profil d'une œuvre », **134**) ; l'argent, chap. 8.
– BALZAC, *Illusions perdues* (« Profil d'une œuvre », **85**) ; chap. 2 : l'argent sous la Restauration.
– BALZAC, *La Peau de chagrin* (« Profil d'une œuvre », **132**) ; chap. 8 : la toute-puissance de l'argent.

• Sur le mariage au XVII⁰ siècle

– MOLIÈRE, *L'École des femmes* (« Profil d'une œuvre », **87**) ; chap. 7 : du mariage.
– MOLIÈRE, *Les Précieuses ridicules / Les Femmes savantes* (« Profil d'une œuvre », **66**) ; chap. 1 : vocations et mariages forcés.

• Sur le rire et le comique chez Molière

– *Le théâtre, problématiques essentielles* (« Histoire littéraire », **151-152**) ; chap. 1 : la comédie.
– MOLIÈRE, *L'École des femmes* (« Profil d'une œuvre », **87**) ; chap. 6 : l'explosion du comique.
– MOLIÈRE, *Le Misanthrope* (« Profil d'une œuvre », **74**) ; chap. 1 : du tragique au comique, une grande variété de registres.

• Profil 1000, « guide des Profils »

Guide pour la recherche des idées, des thèmes, des références à partir de la collection « Profil ».

© HATIER, PARIS JANVIER 1993   ISSN 0750-2516   ISBN 2-218-**04082**-4

SOMMAIRE

■ **Fiche Profil**

L'Avare (1668)

MOLIÈRE   COMÉDIE XVIIe
(1622 -1673)

1. RÉSUMÉ

– **Acte I :** Harpagon, un vieil avare, tyrannise ses enfants, Cléante et Élise. Il a prévu pour eux des mariages d'inté-rêt - une riche veuve pour Cléante et un riche vieillard pour Élise. Quant à lui, il s'apprête à épouser Mariane dont la jeunesse et le charme compenseront la pauvreté. Mais les jeunes gens résistent à ces projets : Élise s'est secrète-ment fiancée à Valère, qui, pour vivre près d'elle et la pro-téger, s'est fait engager comme intendant par Harpagon. Cléante, pour sa part, est amoureux de Mariane.

– **Acte II :** Alors que Cléante, pour se procurer de l'argent, emprunte à un mystérieux usurier qui n'est autre qu'Harpagon lui-même, le vieil avare charge Frosine, une entremetteuse, d'arranger son propre mariage avec la jeune Mariane.

– **Acte III :** Harpagon donne, à l'occasion de la signature de son contrat de mariage, un souper ridicule au cours duquel Cléante et Mariane se reconnaissent.

– **Acte IV :** Les premières tentatives des jeunes gens – appel à la raison, aux sentiments paternels – ne réus-sissent pas à détourner Harpagon de ses projets matri-moniaux contre nature.

Secondé par son valet La Flèche, Cléante vole alors à son père son bien le plus précieux : une cassette lourde de dix mille écus. Harpagon, rendu furieux par cette dis-parition, menace sa famille, ses domestiques et... lui-même, des pires châtiments.

– **Acte V :** Finalement, il doit céder au chantage de la cas-sette, d'autant plus qu'on découvre que Mariane et Valère sont précisément les enfants du vieillard qu'il destinait à Élise : l'amour des jeunes gens triomphe et Harpagon reste seul avec sa chère cassette.

2. PERSONNAGES PRINCIPAUX

– **Harpagon**, vieil avare (plus de 60 ans).
– **Élise**, fille d'Harpagon, secrètement fiancée à Valère.
– **Cléante**, fils d'Harpagon, amoureux de Mariane.
– **Valère**, jeune noble à la recherche de ses parents, amoureux d'Élise, engagé comme intendant par Harpagon.
– **Mariane**, jeune fille, amoureuse de Cléante.
– **Maître Jacques**, fidèle cocher-cuisinier d'Harpagon.
– **La Flèche**, valet de Cléante, rusé et débrouillard.
– **Frosine**, entremetteuse, chargée de mener à bien le mariage d'Harpagon et de Mariane.
– **Le Seigneur Anselme**, père de Valère et de Mariane, promis à Élise.

3. THÈMES

1. L'argent.
2. L'avarice et la folie.
3. L'amour.
4. Le mariage.
5. La famille.
6. Le comique et le tragique.

4. TROIS AXES DE LECTURE

1. Une étude de mœurs

Dans *L'Avare*, le spectateur trouve l'image de la société bourgeoise du XVIIe siècle - rapports entre parents et enfants, mariage, argent... La pièce a pour nous un intérêt documentaire.

2. Une étude de caractère

L'Avare comporte une analyse psychologique fouillée et complexe d'un personnage victime d'une passion - l'avarice - et met en lumière les conséquences de cette passion sur l'entourage.

3. Une pièce comique ou tragique ?

Molière, avec *L'Avare*, écrit une pièce presque inclassable, à mi-chemin entre la comédie et la tragédie, qui parcourt tous les degrés qui séparent ces deux extrêmes.

L'action se passe à Paris, dans la maison du riche bourgeois Harpagon ; la scène représente une salle, et, par derrière, un jardin.

ACTE I

Scène 1 : Deux amoureux, Élise et Valère, s'entretiennent galamment : Élise redoute la menace que fait peser le caractère violent de son père, Harpagon, sur la promesse de mariage qu'elle a, en secret, accordée à Valère ; celui-ci essaie de calmer ses inquiétudes en l'assurant de sa passion. Élise lui rappelle comment naquit leur amour après qu'il l'eut sauvée de la noyade. Bien qu'il recherche ses propres parents, Valère, pour vivre près d'Élise, s'est fait engager comme intendant d'Harpagon. Il se félicite de la faveur que lui témoigne cet avare dont il flatte le vice. Mais peuvent-ils se fier à Cléante, le frère d'Élise ? Justement, le voici ; Valère se retire.

Scène 2 : Cléante révèle à sa sœur qu'il est lui-même amoureux : rien, ni les devoirs d'un fils ni les droits d'un père, ne saurait le faire renoncer à cet amour pour Mariane, belle jeune fille pauvre qui vit seule avec sa mère ; Élise lui laisse entendre qu'elle aime aussi, de son côté. Cléante alors s'emporte contre l'avarice de leur père qui gêne son mariage : il envisage même la fugue. Mais la voix d'Harpagon les fait fuir.

Scène 3 : Harpagon, furieux, soupçonnant La Flèche (le valet de son fils) de lui avoir volé quelque chose, le chasse brutalement. Mais il se ravise et procède à une fouille minutieuse et ridicule du domestique impatienté, avant de le libérer.

Scène 4 : Harpagon, seul, se plaint tout haut de la difficulté de conserver de l'argent chez soi ; il nous apprend qu'il a caché, depuis la veille, une cassette de 10 000 écus d'or dans son jardin. Mais, Ciel ! Élise et Cléante qui s'approchent l'auraient-ils entendu ? Non. Rassuré, Harpagon leur reproche sévèrement leurs dépenses, puis leur parle mariage : veuf, il a choisi d'épouser Mariane, sans savoir qu'il se fait ainsi le rival de son fils qui, à cette nouvelle, violemment troublé, se retire. A Cléante, il destine une « certaine veuve », à Élise, un « homme mûr » de cinquante ans, le seigneur Anselme. Mais Élise tient tête à son père, qui la raille cruellement. Or voici Valère que l'un et l'autre acceptent comme arbitre sur ce sujet... Situation délicate.

Scène 5 : Avant même de savoir ce dont il s'agit, l'intendant, fidèle à sa tactique, donne raison à Harpagon. Une fois mis au courant, il essaie discrètement de dissuader Harpagon alléché par la perspective d'un mariage « sans dot ». L'avare, inquiet pour ses écus, sort : Valère en profite pour rassurer Élise et la pousser à feindre la soumission. Harpagon interrompt leur entretien, mais Valère, mine de rien, reprend avec Élise son ton de moralisateur au service de l'avare qui, sans crainte, lui confie sa fille.

■■■ ACTE II

Scène 1 : Cléante informe La Flèche des projets de mariage d'Harpagon. La Flèche rend compte à Cléante de la délicate mission que celui-ci lui a demandé d'entamer auprès de Maître Simon : par l'intermédiaire de ce courtier, Cléante essaie d'emprunter 15 000 livres à un riche et mystérieux personnage. La Flèche énumère les conditions du contrat.

Cléante, étonné par l'honnêteté des premières exigences du prêteur inconnu, s'indigne ensuite des intérêts exorbitants réclamés et du bric-à-brac comique – mais sans valeur – qu'impose l'usurier pour compléter la somme prêtée.

Scène 2 : La Flèche et Cléante s'étonnent tout bas et s'inquiètent d'apercevoir, à l'autre bout de la scène, Maître Simon en conversation avec Harpagon. Tout s'éclaire quand Maître Simon, bien que surpris de trouver là son jeune client, le présente à Harpagon qui n'est autre que... l'intraitable usurier. Dans des répliques très violentes, Cléante condamne l'avarice de son père ; Harpagon reproche à son fils sa prodigalité.

Scènes 3 et 4 : La Flèche rencontre une vieille connaissance qui attend Harpagon, sorti jeter un coup d'œil sur son argent : c'est Frosine, entremetteuse fière de ses talents. Sans même connaître le motif de sa présence, La Flèche prédit à Frosine qu'il ne lui servira à rien d'attendre une récompense d'Harpagon.

Scène 5 : En fait, Frosine arrange le mariage de Mariane et d'Harpagon. Or le voici de retour. Pour entrer en matière, elle flatte l'avare qui se rengorge. On en vient à l'affaire : Harpagon s'inquiète de la dot que lui apportera sa fiancée, Frosine lui en promet une, considérable mais fantaisiste : ce sont les dépenses annuelles en nourriture, habillement, loisirs, que Marianne, économe,... ne fera pas ! Harpagon rechigne. Pour le rassurer sur les infidélités éventuelles d'une femme aussi jeune, Frosine prétend que Mariane n'a d'yeux que pour les vieillards ! D'ailleurs, Harpagon n'est-il pas séduisant, avec sa toux et son accoutrement démodé ? Frosine alors sollicite quelque récompense, mais Harpagon se montre aussi sourd à ses demandes d'argent qu'il était attentif aux compliments.

ACTE III

Scène 1 : En vue du souper qu'il se doit de donner à sa fiancée – Mariane – et à son futur gendre – le seigneur Anselme –, l'avare fait des recommandations d'économie à ses pauvres diables de domestiques Maître Jacques, le cocher-

9

cuisinier, soucieux d'accorder sa tenue (tablier ou casaque) à sa fonction de l'instant, énumère les plats qu'impose, selon lui, une telle circonstance. Harpagon étouffe presque de colère à l'idée de cette dépense. Valère, jouant les intendants zélés, fait taire Maître Jacques : il s'occupera de tout, et à moindre frais. Indigné par ce manège de Valère, Maître Jacques explose et finit par représenter à Harpagon le portrait qu'on fait de lui en ville : sa franchise est payée de coups de bâton.

Scène 2 : Valère, resté seul avec Maître Jacques, le complimente ironiquement sur cette correction. Le domestique fait front, et, quoique poltron, joue au brave, menace Valère qui, lassé de cette insolence, le bat de nouveau. Maître Jacques se jure alors de tirer vengeance de l'intendant.

Scènes 3 et 4 : Frosine reçoit les confidences de Mariane : quelle tristesse de devoir, poussée par la pauvreté, épouser un riche vieillard lorsqu'on aime ailleurs ! L'entremetteuse a tôt fait de lui opposer de bonnes raisons : à la mort – proche, à coup sûr – d'Harpagon, Mariane sera libre et riche. Harpagon arrive sur la scène à ce moment même.

Scènes 5 et 6 : Il débite un compliment burlesque et démodé auquel Mariane, horrifiée, ne répond rien : simple pudeur, assure Frosine... Élise les rejoint. Alors qu'Harpagon s'obstine à tenir des propos ridicules ou désagréables, Mariane exprime tout bas son dégoût à Frosine qui transforme ces propos en éloges pour Harpagon. Mais voici Cléante : Mariane, stupéfaite, découvre en son amant le propre fils de l'avare.

Scène 7 : Par des paroles à double sens, les jeunes gens s'avouent leur surprise. Cléante pousse l'audace jusqu'à adresser à Mariane – au nom de son père, prétend-il – un compliment passionné. Il lui offre même, toujours au nom d'Harpagon – furieux mais pris au dépourvu –, un diamant que l'avare porte au doigt. D'abord indécise, Mariane, encouragée par Cléante, finit par garder la bague.

Scènes 8 et 9 : Harpagon sort pour régler des affaires d'argent. Le reste de la compagnie va goûter dans le jardin pendant qu'on ferre, pour aller à la foire, les pauvres chevaux d'Harpagon.

Scène 1 : Cléante, Élise et Mariane se désolent. Mariane ne peut rien faire pour leur bonheur : elle doit se dévouer pour sa mère. Frosine, suppliée par les jeunes gens, échafaude un plan pour les sauver et tromper Harpagon. D'ici là, Mariane essaiera de convaincre sa mère.

Scène 2 : Harpagon, de retour, surprend son fils baisant la main de Mariane : le voilà rempli de soupçons. Il ordonne à Cléante – qui se propose d'accompagner ces dames à la foire – de rester.

Scène 3 : Seul avec son fils, Harpagon ruse pour en connaître les véritables sentiments. Pour écarter tout soupçon, Cléante dénigre Mariane. Harpagon, hypocritement, s'en montre désolé : si la jeune fille lui avait plu, il la lui aurait donnée. Cléante tombe dans le piège et se ravise : il se forcera pour plaire à son père… ; mieux, il aime Mariane et n'osait l'avouer. Harpagon, bientôt, connaît tout de cet amour et révèle qu'il est bien décidé à garder Mariane pour lui. Cléante s'obstine, Harpagon le menace du bâton.

Scène 4 : Maître Jacques survient à point : le père et le fils l'agréent comme arbitre. Il va de l'un à l'autre pour les apaiser et transforme si bien leurs paroles que chacun d'eux finit par croire que l'autre a cédé et renonce à Mariane. Maître Jacques les quitte, satisfait de cette réconciliation artificielle.

Scène 5 : Harpagon et Cléante échangent alors force amabilités. Mais les illusions se dissipent lorsque Cléante remercie son père de lui accorder Mariane : Harpagon ne reconnaît plus ses propos. La dispute repart alors de plus belle : l'avare chasse son fils en le déshéritant et en le maudissant.

Scène 6 : La Flèche vient de voler la cassette d'Harpagon et entraîne Cléante pour lui expliquer l'affaire.

Scène 7 : On entend alors crier l'avare : hors de lui, fou de douleur, déraisonnant, il pleure sur son sort et sur ses chers écus perdus. Il soupçonne tout le monde, et projette de pendre toute la ville avant de se pendre lui-même.

ACTE V

Scène 1 : Harpagon a déjà convoqué un commissaire qui recueille les premiers éléments de l'enquête.

Scène 2 : Maître Jacques entre en criant : « qu'on me l'égorge (...) qu'on me le pende. » Harpagon croit un instant qu'il s'agit de son voleur alors que Maître Jacques parle d'un cochon de lait. On procède à l'interrogatoire du domestique qui d'abord prend le commissaire pour un nouvel invité ! Maître Jacques accuse Valère pour se venger de lui. Comme il ignore tout de la cassette, des circonstances du vol, le cocher-cuisinier, avec aplomb, obtient d'Harpagon des renseignements qu'il transforme en preuves accablantes pour Valère.

Scène 3 : Valère apparaît ; Harpagon, furieux, lui reproche son « crime », sans plus de précisions. Valère, persuadé qu'Harpagon a découvert sa liaison avec Élise, essaie de minimiser l'affaire. Pour apaiser l'avare, il l'assure de son désintéressement, de la pureté de ses intentions ; Harpagon croit toujours qu'il s'agit de ses écus et s'étonne qu'on porte tant d'amour à sa cassette. Enfin le quiproquo se dissipe, mais incomplètement : Valère n'a pas encore compris qu'on l'accuse du vol de la cassette et Harpagon le considère désormais comme voleur et comme séducteur.

Scène 4 : Harpagon s'apprête à punir avec la dernière sévérité Élise et Valère malgré leurs prières.

Scène 5 : Arrivée du seigneur Anselme : Harpagon exige qu'Anselme poursuive lui-même Valère en justice pour lui avoir enlevé sa promise, Élise. Valère révèle alors qu'il est fils de don Thomas d'Alburcy, gentilhomme napolitain dont la famille fut dispersée à la suite d'un naufrage. Mariane, par ce récit merveilleux, découvre que Valère est son frère. Le seigneur Anselme, qui n'est autre que don Thomas, reconnaît alors les deux jeunes gens pour ses enfants qu'il croyait perdus. Harpagon ne veut rien entendre et réclame désormais à Anselme l'argent qu'aurait volé Valère.

Scène 6 : Mais Cléante survient pour proposer un marché : la cassette contre la main de Mariane. Harpagon, trop content, renonce à la jeune fille. Pour apaiser complètement l'avare, Anselme don Thomas réglera tous les frais des noces.

2 Présentation de L'Avare

◼◼◼ FAMILLE ET ARGENT DANS LA VIE DE MOLIÈRE

Une éducation de jeune bourgeois (1622-1642)

Molière est issu de cette bourgeoisie qu'il représente si souvent dans ses comédies. Il fréquente les collèges.

L'Illustre Théâtre (1643-1645)

Molière rompt avec sa famille qui s'oppose à son amour pour le théâtre et pour une belle comédienne (Madeleine Béjart) : on peut rapprocher cette situation de celle de Cléante en froid avec son père et prêt à fuir avec sa belle-aimée.
– Molière fonde avec M. Béjart une troupe, l'Illustre Théâtre.
– 1644 : Molière fait l'expérience des difficultés d'argent : pour essayer de sauver sa troupe, il a vraisemblablement recours à des usuriers redoutables.
– 1645 : Il est emprisonné quelques jours pour dettes

Douze ans de tournées en province, puis l'installation à Paris

Molière apprend son métier. Il compose des farces (perdues) ou de simples canevas sur lesquels improvisaient les acteurs (*L'Avare* présente des aspects de farce).

– 1655 : Une comédie de Boisrobert, *La Belle Plaideuse* ; on y voit la rencontre entre un père usurier et un fils prodigue (cf. *L'Avare*, II, 2) et quelques autres passages dont Molière se souviendra peut-être.

– Molière représente sa première pièce connue, *L'Étourdi* : il y met en scène deux vieux avares, Trufaldin et Anselme.

– 1658 : Au moment où il s'installe à Paris, Molière peut lire la première traduction française du théâtre de l'auteur latin Plaute, et en particulier de *L'Aululfrom* (sous le titre *L'Avaricieux*) ; il s'en inspire pour *L'Avare*.

– 1662 : Molière se marie avec Armande Béjart, la fille (ou sœur ?) de Madeleine, de vingt ans plus jeune que lui. Il écrit *L'École des Femmes* : un homme mûr a fait élever dans l'ignorance une fillette pour en faire plus tard son épouse docile et naïve ; mais ses projets sont déjoués et un jeune homme la lui ravit (dans *L'Avare* aussi, les mariages entre personnes d'âge trop différent échouent).

– 1664 : *Tartuffe* : le goût de l'argent prend le masque hypocrite de la piété.

– 1665 : Tout Paris se moque de l'extraordinaire avarice d'un très riche officier de justice, Tardieu, et de sa femme, finalement assassinés par des voleurs.

– 1666 : *Le Médecin malgré lui* : on voit, dans cette farce, un vieux père avare qui préfère donner sa fille en mariage à un homme riche plutôt qu'au jeune homme qu'elle aime.

Années difficiles (1665-1668)

Molière tombe très malade d'une fluxion de poitrine (comme Harpagon, II, 5) ; il vit séparé de sa femme, achève seulement de payer des dettes vieilles de vingt ans ; sa pièce *Tartuffe* est interdite...

– Septembre 1668 : Molière crée *L'Avare* à la fin de cette période pénible.

Dernières années (1669-1673)

– 1671 : *Les Fourberies de Scapin* : dans cette farce, nous retrouvons des pères avares, des amours contrariées, un valet rusé et des reconnaissances qui arrangent tout.

– 1673 : Molière meurt après la troisième représentation du *Malade Imaginaire*.

■■■■ « L'AVARE » : CONTEXTE HISTORIQUE ET SOCIAL

Harpagon n'est pas un personnage abstrait : il vit dans son époque et, pour mieux comprendre la pièce, il faut au spectateur actuel des éclaircissements sur la vie en 1668.

L'Histoire

Des repères précis sont donnés à la scène 5 de l'acte V : il y eut bien une révolte à Naples le 7 juillet 1647, mais Molière en a déplacé la date à 1652[1]. La situation d'exilés d'Anselme et de ses enfants n'est donc pas invraisemblable, d'autant plus que « les Français avaient gardé l'impression que Naples était un pays à révolutions[2] ».

La cascade de reconnaissances de l'acte V trouve donc en partie son origine dans l'Histoire. En France après la Fronde, en Italie après les révolutions napolitaines, beaucoup de familles nobles séparées se sont retrouvées.

Enfin, les allusions aux faux nobles (IV, 1 : la Basse-Bretonne qui contrefait « une dame de qualité » ; V, 5 :

---

1. Le naufrage d'Anselme a eu lieu « seize ans » avant les événements représentés dans *L'Avare* (1668).
2. Molière, *Œuvres complètes*, coll. « Bibliothèque de la Pléiade », par G. Couton, T. II, p. 1 397, éd. Gallimard.

Anselme accuse Valère d'imposture) rappellent l'existence des usurpateurs de titres qui voulaient bénéficier de l'exemption d'impôts.

Les liens familiaux

Harpagon, le plus vieux des pères créés par Molière, a soixante ans « bien comptés », âge extrêmement avancé pour l'époque : on mourait bien plus jeune que de nos jours et un Harpagon actuel avoisinerait les quatre-vingts ans. Ce vieillard exerce encore ses *droits paternels*, alors tout-puissants et sans limites dans le temps : les enfants, même après leur majorité (25 ans), restaient à l'entière merci de leur père. Celui-ci disposait de moyens de pression exorbitants : il pouvait faire enfermer sa fille dans un couvent (V, 4 : « Quatre bonnes murailles me répondront de ta conduite »), faire emprisonner son fils, déshériter ses enfants et les maudire (IV, 5). Étant donné l'importance de la cellule familiale au XVIIe siècle, tout enfant qui s'en séparait – par la fugue, par exemple – se mettait hors-la-loi. Aussi Cléante ne pouvait-il sous peine de se déclasser – tant était forte la pression sociale des préjugés – ni travailler, ni quitter son père pour vivre indépendant.

Pour les mariages, seuls les parents décidaient, le plus souvent en fonction de leur propre intérêt ; d'où de fortes oppositions entre parents et enfants qui, eux, désiraient suivre leur « inclination ».

La femme ne se définissait qu'en tant que fille, épouse, puis mère : privée de l'appui d'un homme, elle n'avait pratiquement pas d'existence sociale ; aussi Mariane et sa mère traînent-elles une vie difficile.

Le train de maison

Chez un bourgeois comme Harpagon, on comptait au moins dix *domestiques* « spécialisés » (intendant, écuyer, soubrettes...). On mesure alors l'avarice d'Harpagon qui n'a que la moitié de l'effectif minimum – cinq domestiques – et chez qui Maître Jacques remplit deux rôles bien différents. De même Élise n'est pas, comme elle le devrait, chaperonnée par une suivante, mais par la servante qui s'occupe aussi du ménage, Dame Claude. Le maître « de qualité » battait couramment ses gens (I, 3 ; III, 1) ; voilà pourquoi Maître Jacques accepte les coups de bâton d'Harpagon, mais pas ceux de Valère.

Comme le maître de maison fournissait les *habits*, Harpagon n'a pas changé le pourpoint taché et le haut-de-chausses troué de ses laquais ; quant à la « souquenille », grande veste qui protégeait la livrée, on la quitte rarement chez Harpagon, nouveau signe d'avarice extrême (III, 1). D'autres références aux costumes éclairent le caractère des personnages. Depuis Louis XIII, la mode a changé : le pourpoint s'est raccourci et orné de dentelles ; la chemise bouffante surchargée de rubans a fait son apparition (II, 5) ; les aiguillettes disparaissent (I, 4) ; la perruque est de règle (II, 5). Cléante ne fait donc que suivre cette mode tyrannique, cependant qu'Harpagon, lui, avec ses aiguillettes apparentes (II, 5), sa « fraise *à l'antique* » et ses lunettes – signe de décrépitude – retarde de 50 ans au moins.

Pour le *mobilier*, on remarquera que, dans l'inventaire d'Harpagon (II, 1), figurent une « table... à piliers tournés », c'est-à-dire style Louis XIII, et des escabelles, petits sièges de bois alors tout à fait démodés. Les mousquets qui sont mentionnés étaient déjà eux aussi dépassés.

Parmi les très nombreux *plats* servis au souper (à sept heures), on appréciait les choux, mais beaucoup moins les marrons, beaucoup les volailles, moins le mouton ; la différence entre le menu de Maître Jacques et celui d'Harpagon est claire : le premier propose un menu d'apparat avec des mets recherchés pour l'époque, l'avare compose un repas familial des plus communs. Oranges et citrons étaient des fruits de luxe, ainsi que les « confitures » (= fruits confits et pâtes de fruits). Ces produits se servaient dans les goûters raffinés de la bonne société : aussi Cléante les choisit-il pour Mariane ; quel effet doit produire cette liste sur l'avare ! (De nos jours, un Harpagon hésiterait à offrir caviar, foie gras et homard...)

L'argent

Le spectateur de notre époque a du mal à évaluer l'importance des *sommes* dont il est question dans *L'Avare* ; le tableau suivant, par ses équivalences, permet de mieux la mesurer :

	Scènes	Montant		
		en livres (1668)	en or	en francs 1992
Cassette	I, 4	30 000 livres (10 000 écus)	+ de 18 kg[1]	1 260 000
Perruques et rubans de Cléante (évalués par Harpagon)	I, 4	(20 pistoles) 220 livres	0,133 kg	9 310
Emprunt de Cléante	II, 1	15 000 livres : 12 000 en liquide 3 000 en hardes	+ de 9 kg	630 000
Dot "en creux" de Mariane ; elle comprend :	II, 5	12 000 livres	7,4 kg	518 000
Nourriture/an		3 000 livres	1,85 kg	129 500
Habits/an		4 000 livres	2,46 kg	172 200
Jeu		5 000 livres	3 kg	210 000

Que penser de ces chiffres ? Dans la moyenne bourgeoisie, le budget familial – largement calculé – atteignait, pour 12 personnes, 12 000 livres par an. On voit alors que la dot « en creux » de Mariane, qui s'élève à 12 000 livres *par an*, couvre ces dépenses (bien sûr, Frosine exagère !), que la cassette contient deux fois et demie ce budget annuel (et qu'elle est très lourde : elle comprend 2 727 pièces), que Cléante, pour partir avec Marianne, emprunte de quoi vivre décemment, avec *10* domestiques, pendant environ un an et demi, et que, selon Harpagon, il porte, en rubans et perruques, l'équivalent d'une semaine et demie des dépenses de douze personnes.

Comment devenait-on riche ? Molière ne précise pas d'où Harpagon tire le bien qu'il aurait « amassé avec tant de sueurs » (II, 2) : a-t-il seulement fait fructifier un héritage ? A-t-il autrefois exercé, comme M. Jourdain, Argan ou Orgon, quelque commerce et prêté ses bénéfices ?

Les enfants d'Harpagon n'envisagent pas de travailler : dans la bonne bourgeoisie, on méprise le travail (manuel surtout) et on se presse d'oublier l'origine de la fortune familiale pour ne penser qu'à en jouir. Mais une législation précise réglementait

---

1. 1 écu de compte = 3 livres ; 1 pistole = 11 livres ; pour ces calculs, il faut partir de : 10 000 écus = 30 000 livres = plus de 18 kg d'or.

la transmission des biens. Un mari n'héritait pas des biens de sa femme mais devait les garder pour ses enfants jusqu'à leur majorité légale (25 ans) ; d'où la réflexion de Cléante : « Notre mère étant morte, dont on ne peut m'ôter le bien » (II, 1).

Lorsqu'il ne restait aucun enfant d'un premier mariage, les biens de la famille revenaient aux enfants nés de la seconde épouse : on comprend l'intérêt que trouve Harpagon à marier Élise à Anselme (I, 5). L'héritage constituait donc un précieux apport et déshériter un descendant menaçait gravement son avenir (IV, 5). Quant l'argent venait à manquer, on pouvait risquer sa chance aux tables de jeu ; Cléante y gagne de quoi se vêtir, mais Frosine parle d'une joueuse qui aurait perdu environ 820 000 francs (1992) « à trente et quarante » (II, 5) (Mme de Montespan perd cent fois plus en 1678).

La justice

« Justice ! » crie Harpagon en fureur (IV, 7). Les procès se multiplient au XVIIe siècle, époque de chicaneurs (cf. Les Plaideurs de Racine) : Frosine avoue à Harpagon qu'elle a « un procès qu'[elle est] sur le point de perdre » (II, 5). Harpagon veut traduire tout le monde en justice (IV, 7 ; V, 1) et a, dit-on, fait assigner un chat (III, 1).

La procédure s'éternisait ; Molière en avait souvent fait l'expérience, après la faillite de l'Illustre Théâtre, et a pris plaisir, dans ses pièces, à souligner l'incompétence et la cruauté des hommes de justice. On voit à l'œuvre le commissaire : fier-à-bras, content de son tableau de chasse (« Je voudrais avoir autant de sacs de mille francs que j'ai fait pendre de personnes », V, 1), tatillon et mielleux, il mène une enquête sans queue ni tête, ne comprend rien à la situation et décide sans preuves, en jugeant sur la mine (V, 2 et 3). Frosine prétend pouvoir gagner son procès en achetant ses juges, car elle connaît leur vénalité (II, 5).

On pratiquait la « torture préparatoire » (« faire donner la question ») pour obtenir des aveux (IV, 7). Les commissaires utilisaient les « gênes », instruments de torture tels que brodequins, pots d'eau, coins. Les peines nous étonnent par leur sévérité : on pendait les criminels (IV, 7 ; V, 1 ; V, 4) et le châtiment le plus infamant, la roue dont Harpagon menace Valère, était réservé aux roturiers (V, 5).

■■■■■ SOURCES ET EMPRUNTS

Comme nombre d'écrivains du XVIIe siècle, Molière s'inspire librement d'œuvres antérieures – dramatiques ou romanesques. De *L'Avare*, on a affirmé qu'il ne contenait pas quatre scènes qui soient de Molière... C'est que le XVIIe siècle cherche l'originalité non pas tant dans le sujet que dans la façon de le traiter. Ainsi, rechercher *tous* les emprunts de Molière serait impossible – et inutile – mais l'étude de certains d'entre eux permettra peut-être de mieux comprendre comment il a travaillé pour son *Avare*.

La vie quotidienne

Molière lui-même, dans la *Critique de l'École des Femmes*, fait dire à Dorante : « Lorsque vous peignez les hommes, il faut peindre *d'après nature*... et vous n'avez rien fait, si vous n'y faites reconnaître les gens de votre siècle » (sc. 6).

Comme modèle d'Harpagon, plus que le père de l'auteur, on cite volontiers *Jean Tardieu*, avare réputé dans les années 1630-1660. Par ailleurs, la propre *expérience humaine* de Molière lui fournit vraisemblablement bien des éléments : les procès sans fin qu'on lui avait intentés, ses dettes lui avaient fait côtoyer de près les usuriers (II, 1 et 2) et les gens de justice (V, 1 et 2). Si bien que *L'Avare*, à bien des égards, peut constituer un miroir – déformant parce que comique – de son époque.

La littérature

L'Aulularia est la source principale de *L'Avare*. Les *Anciens* fournissent à Molière des détails : le chat qu'Harpagon aurait traîné en justice (III, 1), rappelle le chien que Philocléon juge dans les règles pour avoir dévoré un fromage de Sicile[1], le milan que l'avare Euclion de *L'Aulularia*[2] « assigne en justice pour lui avoir enlevé son fricot ».

---

1. Dans *Les Guêpes*, d'Aristophane, poète comique grec (445-386 av. J.-C.).
2. Plaute, poète comique latin (254-184 av. J.-C.). *Aulula* en latin signifie « petite marmite ».

Mais les similitudes entre *L'Aulularia* et *L'Avare* sont plus profondes ; leurs intrigues se ressemblent beaucoup, le résumé suivant le montre :

> Le vieil et pauvre Euclion a trouvé dans sa maison une marmite pleine d'argent : il n'en dort plus et soupçonne même d'intentions funestes un bon bourgeois d'âge mûr, Mégadore, qui lui demande en mariage, sans dot, sa fille, la charmante Phaedra. Euclion finit par cacher la marmite dans le temple de la Bonne Foi ; mais elle est subtilisée par l'esclave Strobile, dont le maître, Lyconidès, neveu de Mégadore, aime Phaedra. Lyconidès obtiendra de Strobile qu'il restitue l'argent, et de son oncle qu'il lui cède la jeune fille. Euclion, après tant de tourments, conclut joyeusement le mariage. (J. Bayet, *Littérature latine*, Éd. Armand Colin, 1977, p. 40).

On retrouve des « gags » (Dullin) identiques : les mains inspectées par l'avare (I, 3), le « sans dot » (I, 4), la dot « négative » de la fiancée (II, 5)... ou même des scènes entières : la fouille du valet (I, 3), le monologue de l'avare volé (IV, 7).

Molière n'est cependant pas esclave de son modèle : « A mon sens, c'est davantage d'une influence que d'une imitation proprement dite qu'il s'agit », affirme Dullin, plus sensible au « ton général », au « parfum plaisant », à « l'atmosphère latine » qu'on retrouve avec Frosine – type de l'entremetteuse classique des comédies de Plaute –, avec Maître Jacques – le « factoton », l'affranchi bon à tout faire, avec le jardin qui ressemble à celui d'Euclion où son coq faillit découvrir son trésor.

Comment Molière s'est-il dégagé de *L'Aulularia* ?
– Il fait d'Harpagon non pas un pauvre homme enrichi par hasard, comme l'Euclion de Plaute, mais un *riche bourgeois* : riche pour « faire ressortir les manifestations de ce vice » et souligner son goût du gain ; bourgeois pour « divertir les gens de cour[1] » et attirer le public bourgeois en même temps.
– Il bouleverse en partie la *construction* de la pièce.
– Il *modifie* le texte et souvent l'améliore ; prenons deux exemples : Euclion, par trois fois, précise à son voisin, venu demander sa fille en mariage, qu'il la lui donnera « sans dot » ; dans la scène 5 de l'acte I, Harpagon répète le « sans dot »

---

1. Jasinski R., *Molière*, Hatier, 1969, p. 192.

quatre fois, ce qui a pour effet de provoquer le rire par une répétition plus appuyée, de souligner le gâtisme radoteur d'Harpagon et de permettre à Valère de reprendre le mot « au vol » pour se moquer du vieillard. L'alternance, dans le monologue de l'avare volé (IV, 7), d'abattement profond et d'excitation ne se trouvait pas dans le monologue d'Euclion à qui on a dérobé sa marmite pleine d'or : chez Molière, le caractère d'Harpagon en prend beaucoup plus de relief.

– La *commedia dell'arte*[1] et la *farce* fournissaient peut-être à Molière des *personnages* traditionnels : le valet agile et fripon (La Flèche), l'entremetteuse (Frosine), le barbon amoureux ridicule (III, 1) ; Molière reprend aussi certaines bouffonneries, appelées « *lazzis* » : chute (Harpagon s'étale : III, 9), coups de bâton donnés (III, 1 ; III, 3) ou imminents (IV, 3). La deuxième moitié du premier acte offre cette couleur italienne. De même le menu composé par Maître Jacques (III, 1) est dans la lignée des farces de Guillot-Gorju (1600-1648).

– Peut-être Molière a-t-il aussi eu recours à d'autres *œuvres contemporaines*, pièces plus « littéraires » que la commedia dell'arte, romans...

Que nous apprendrait, sur la façon de travailler de Molière, un relevé complet des passages empruntés à ses contemporains ? Pour bien des scènes, Molière disposait de plusieurs sources : la fouille de La Flèche (I, 3), le personnage de Frosine (II, 4), le monologue de l'avare volé (IV, 7)... Vraisemblablement donc, loin de copier ses modèles, il a transposé de mémoire des anecdotes qui, par leur fréquence et leur comique, l'avaient marqué.

Les emprunts sont plus fréquents dans les deux premiers actes : Molière aurait, en quelque sorte, eu besoin d'un « coup de pouce », d'un démarrage, et aurait, ensuite, pris par son sujet, mené sa pièce à son idée.

Ces emprunts n'ont en aucune façon influé sur la construction de *L'Avare*, qui lui est personnelle (voir plus loin Structure).

---

1. Dans la commedia dell'arte (en italien, comédie de fantaisie), les acteurs improvisaient, sur un canevas, une ébauche de scénario, à grand renfort de gesticulations et de mimiques comiques. D'une pièce à l'autre, on retrouvait des personnages traditionnels : Arlequin, Pantalon, Polichinelle...

L'étude des sources montre que Molière oubliait vite ses modèles pour obéir à ses propres impératifs : faire rire encore plus, mieux dessiner les caractères, plaire au public.

■■■■ STRUCTURE DE LA PIÈCE

Une comédie classique

Dès la première moitié du XVIIe siècle, certains théoriciens de la littérature réclamaient des auteurs de théâtre le respect des règles formulées par le penseur grec Aristote (384-322 av. J.-C.). La plus fameuse, celle des *trois unités*, exigeait que l'intérêt fût centré sur une seule intrigue – *unité d'action* –, que cette action se déroulât en un seul jour – *unité de temps* –, et que les personnages apparussent toujours dans le même lieu – *unité de lieu*. Furent considérées comme *classiques*[1] les pièces qui suivaient ces règles. Ces contraintes pesaient principalement sur la tragédie ; or Molière prétendait élever la comédie au rang de la tragédie, mais en même temps refusait de se laisser enfermer dans ces règles rigoureuses. Il voulut donc leur redonner leur véritable valeur d'« observations aisées que le bon sens a faites sur ce qui ôte le plaisir que l'on prend[2] » au spectacle. Comment, dans *L'Avare*, Molière s'est-il efforcé de suivre les règles classiques en les accommodant à son propre tempérament ?

L'unité de lieu semble respectée : « Le théâtre est une salle et, sur le derrière, un jardin »[3]. Cependant, l'acteur et metteur en scène Charles Dullin n'a sûrement pas trahi l'esprit de Molière en donnant « plus de présence au jardin, en le situant sur le côté de la scène, en bonne visibilité. En effet ce jardin est un pôle d'attraction[4]. » Molière aurait vraisemblablement partagé cette façon de voir, mais les règles ne lui permettaient de suggérer l'importance de ce jardin que par les répliques. C'est ce coin de terre, lourd de la précieuse cassette, qui attire

---

1. En fait, à cette époque, on parlait de pièces « régulières ». Le terme de « classiques » est bien postérieur.
2. Molière, *Critique de l'École des Femmes*, sc. 6.
3. D'après le *Mémoire* de Mahelot, le machiniste de Molière.
4. Charles Dullin, *L'Avare*, coll. « Mise en scène », Éd. du Seuil, Paris, 1946, p. 14 (Dullin monta *L'Avare* en 1922).

Harpagon comme un aimant, c'est de là qu'il s'élance en hurlant son désespoir (IV, 7).

Molière se plie également à *l'unité de temps* : la durée d'une représentation de *L'Avare* correspond presque à la durée réelle des événements rapportés (quatre ou cinq heures). Certes, pour y parvenir, Molière mène l'action tambour battant et les péripéties se succèdent, sans que le spectateur trouve invraisemblable une journée aussi remplie. En effet, il sait, dès le début, qu'une crise va éclater : la situation de Valère ne peut s'éterniser (I, 1) et Cléante, de plus en plus endetté, envisage de fuir avec Mariane (I, 2). Harpagon déclenche cette crise en révélant des projets qu'il préparait en secret depuis quelque temps et qu'il veut, pour plus de sûreté, réaliser au plus tôt : son propre mariage et celui de ses enfants (I, 4). Un hasard – la présence de la cassette (I, 4) – va tout bouleverser et permettre qu'à la fin de la journée, tous savourent le bonheur retrouvé.

Intrigues et unité d'action

Les intrigues se multiplient : aux amours des jeunes gens, d'Harpagon, s'ajoutent le vol de la cassette et la rivalité entre Valère et Maître Jacques. On ne trouve cependant pas dans *L'Avare* l'enchevêtrement qui caractérise la véritable comédie d'intrigues[1] : l'action reste toujours claire. Les intrigues progressent parfois séparément, se rejoignent parfois : un mot, une allusion dans le cours d'une scène permettent au spectateur de faire le point sur l'une ou l'autre d'entre elles, qui ultérieurement passera au premier plan[2].

Prenons un exemple. La question d'Harpagon à La Flèche : « Ne serais-tu point homme à aller faire courir le bruit que j'ai chez moi de *l'argent caché* ?[3] » (I, 3) introduit indirectement l'intrigue de la cassette. Harpagon, dans un bref monologue,

---

1. Un valet astucieux en complique à plaisir les situations pour montrer son talent en les débrouillant.
2. Seule la proposition de Frosine – aiguiller Harpagon vers une autre fiancée, une marquise de Basse-Bretagne – ne reparaît plus (IV, 1). Maladresse et oubli ? Pause ménagée pour soulager Molière ? Ou plutôt projet imposé par une situation critique et rendu inutile par d'autres circonstances ?
3. Nous soulignons dans cette citation et les suivantes, sauf indication contraire.

justifie sa méfiance : une cassette est effectivement enterrée dans le jardin (I, 4). Pour que le spectateur ne l'oublie pas, Molière envoie Harpagon dans le jardin sous des prétextes divers : un aboiement suspect (I, 5), une simple vérification (II, 3), un appel (II, 5). Désormais, le pli est pris, et le spectateur croit, sans doute avec raison, qu'à chacune de ses sorties, Harpagon jette un coup d'œil sur sa cassette. Ce n'est qu'à la fin de l'acte IV que cette intrigue fondamentale occupe la première place dans l'action, avec le monologue et les scènes suivantes, puis très vite elle rejoint d'autres intrigues : Maître Jacques, par jalousie, accuse faussement Valère (V, 2) ; le quiproquo de l'acte V (sc. 3) associe vol de la cassette et amour de Valère pour Élise.

C'est en fait le caractère d'Harpagon qui assure *l'unité* de cet ensemble dont on a souvent exagéré l'éparpillement ; c'est son *avarice* qui provoque et justifie le comportement de toute la maison. Néanmoins, Dullin met en garde contre un risque de déséquilibre constant : il ne faut sacrifier ni l'intrigue, ni les autres personnages à Harpagon, en considérant la pièce comme une série de sketches sur l'avarice.

Tensions et détentes

« [La comédie] ne va pas sans ombre d'ennui. » C'est du moins l'avis d'un grand critique de théâtre[1]. Cinq actes (comme dans les grandes comédies), était-ce trop pour cette peinture de l'avarice, trois auraient-ils suffi ? S'ennuie-t-on à la représentation de *L'Avare* ? En fait, seules les mises en scène qui ne respectent pas *le mouvement, l'esprit* de la pièce peuvent donner cette impression. En effet, Molière réussit parfaitement à soutenir l'intérêt en combinant, dans la progression de la comédie, *temps forts et moments de détente*. Le graphique de l'action (tableau p. 27) permet d'apprécier la variété, la répartition et l'intensité des scènes de tension et des scènes de répit.

De fréquents *coups de théâtre* relancent aussi l'attention du spectateur : mais comme, au théâtre, les meilleures surprises sont celles auxquelles l'esprit a été un peu préparé, Molière laisse discrètement prévoir les moments décisifs. Le vol de la

---

1. Sarcey, *Le Temps* 13 octobre 1873.

cassette (IV, 6) est déjà annoncé dans la menace voilée de La Flèche : « Il me donnerait, par ses procédés, des tentations de le voler, et je croirais, en le volant, faire une action méritoire » (II, 1). On s'attend également à quelque coup de Maître Jacques qui, dès l'acte III (sc. 2), promet entre ses dents : « Mais, pour ce monsieur l'intendant, je m'en vengerai si je le puis ».

Le dénouement

Molière termine souvent ses pièces par des dénouements (*temps forts* par excellence) pleins de fantaisie, et jugés parfois très artificiels. Celui de *L'Avare* présente une originalité : il repose sur *un élément fantaisiste* (les reconnaissances) mais aussi sur *un élément logique* (le chantage à la cassette). Molière s'est efforcé d'atténuer l'invraisemblance de la cascade finale de reconnaissances en indiquant, dès le début, que Valère est un gentilhomme à la recherche de ses parents (I, 1) ; son attitude au cours de la pièce confirme sa « qualité » (voir l'analyse de ce personnage, p. 48). Cependant, toutes ces retrouvailles pèseraient bien peu à côté de l'argument suffisant et décisif que détient Cléante : la cassette. Nous quittons alors le domaine de la fantaisie, et le dénouement perd de son invraisemblance[1]. Harpagon ne peut hésiter un instant entre sa vieille passion – l'or – et sa récente toquade – Mariane. C'est donc l'intrigue de la cassette, développée depuis longtemps, qui emporte la décision et permet à la pièce de basculer définitivement dans la comédie.

Vraisemblable ou invraisemblable, naturel ou artificiel, en fait, ces distinctions ne valent guère pour Molière quand il doit conclure. Il a noué et entrelacé les fils de l'intrigue. Au moment de les dénouer, il ne cherche pas à défaire patiemment ce qu'il a construit : il est temps pour ses personnages de quitter la scène, et Molière de trancher vigoureusement le nœud comique.

---

1. Dans *Les Fourberies*, le dénouement heureux repose seulement sur des reconnaissances.

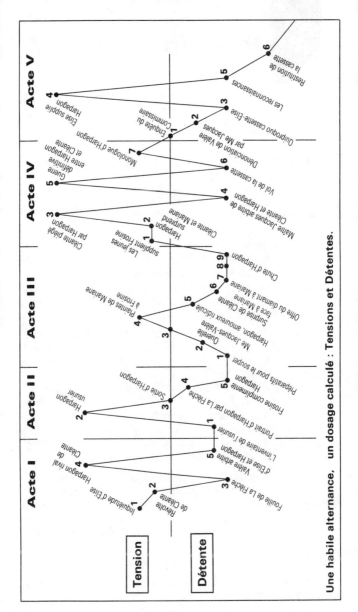

Une habile alternance, un dosage calculé : Tensions et Détentes.

27

3 Harpagon

▬▬▬ APPARENCE PHYSIQUE

Le dégoût de Mariane nous renseigne sur la *laideur* d'Harpagon (III, 4). On connaît aussi son âge : « ce maudit vieillard » (I, 3) a *soixante ans* « bien comptés » (II, 5), âge très avancé pour l'époque. Est-ce un vieillard *moribond ou encore vert* ? Adam le voit « physiquement épuisé », « décharné, voûté et quinteux[1] ». Certes Cléante s'engage auprès de son usurier à ce que son père meure dans les huit mois (II, 1) ; Frosine assure à Mariane qu'Harpagon ne vivra pas plus de trois ans (III, 4). Mais s'il était aussi affaibli qu'ils le prétendent, pourrait-il « rester sous pression » toute la pièce et ne décolérer que pour mieux exploser ensuite ? Parfois, des quintes de toux l'interrompent : c'étaient celles qui secouaient Molière et qu'il a « incorporées » à son personnage pour tousser à son aise sur scène. Lors de la création de *L'Avare*, Molière a quarante-six ans ; il ne lui reste que quatre années à vivre ; mais s'il avait été vraiment épuisé, aurait-il fait apparaître Harpagon 23 scènes sur 32 ? On peut donc penser qu'il incarnait un avare vigoureux et alerte, courant (sans canne : pour battre Maître Jacques ou Cléante, il réclame un bâton) comme « un dératé à sa cassette[2] », tombant et se relevant aussitôt sans en souffrir.

Harpagon accueille Mariane en portant des lunettes (III, 5), signe, à l'époque, d'une grande vieillesse. Son *costume* ne le rajeunit pas non plus. Frosine prétend qu'il séduira Mariane par sa « fraise à l'antique » et qu'elle sera charmée par son « haut-de-chausses attaché au pourpoint avec des aiguil-

---

1. Adam, *Hist. de la littérature française au* XVIIᵉ *siècle*, t. III, Paris, 1952.
2. L'expression est de Coquelin cadet, acteur qui joua Harpagon (Lettre à Sarcey, *Le Temps*, 27 janvier 1896).

lettes » (II, 5). Harpagon suit encore une mode, celle du temps d'Henri IV, vieille de cinquante ans. Il y a fort à parier qu'il porte un costume de son propre père, à moins qu'il ne le tire de « l'ample magasin de hardes » dont La Flèche le croit propriétaire (II, 4). Voici, d'après l'inventaire fait à la mort de Molière, le costume d'Harpagon : « un manteau, chausses et pourpoint de satin noir, garni de dentelle ronde de soie noire, chapeau, perruque, souliers ». La tenue, bien que passée de mode, est décente : Harpagon est un *riche bourgeois*, il a une haute idée de sa position sociale et, malgré son avarice, se voit obligé de garder des éléments de train de maison : carrosse (branlant), chevaux (affamés), domestiques (mais si peu nombreux) en livrée (trouée et tachée).

▰▰▰ LE CARACTÈRE D'HARPAGON

Un vieil avare amoureux – Pantalon ou le Baron – apparaît fréquemment dans la commedia dell'arte. Molière s'en est souvenu pour son Harpagon, mais en enrichissant considérablement les données sommaires de la comédie italienne. Cet enrichissement a souvent été critiqué et l'on a dit que Molière avait créé un personnage abstrait ou invraisemblable. L'habitude d'étudier séparément, en Harpagon, l'avare, le père et l'amoureux confirme qu'on a renoncé à trouver dans le personnage une unité, une cohérence.

Or il suffit, pour comprendre Harpagon, de s'en remettre au titre de la pièce, *L'Avare*, mais sans laisser à ce mot son sens étroit du français : « Avare : personne qui a beaucoup d'argent, qui amasse et garde tout ce qu'elle a » *(Petit Robert)*. Le mot latin *avaritia* nous renseigne mieux : il désigne un *vif désir de conserver*, mais surtout *d'acquérir* toujours plus. Cette avidité ne se limite pas à la convoitise des richesses, mais s'étend à tout ce qui peut donner à l'avare l'impression d'exister davantage. Harpagon est dévoré par cette *avarice totale* dont son nom même rend compte : *Harpago*, c'est, en latin, le crochet, le grappin qui sert à *prendre* et à *retenir*. C'est une forme extrême, monstrueuse de ce que La Rochefoucauld appelle « l'amour-propre » et qu'il définit comme un attachement exclusif à sa propre personne, à sa conversation, à son développement : « amour de soi et de toutes les choses pour soi ». Chez Harpagon, l'amour-propre prend la forme d'un désir de vivre intensément à travers l'or, l'amour, et le plein exercice de ses droits de maître et de père.

L'or et l'instinct de conservation

On entend par *instinct de conservation* le désir naturel de maintenir intacte sa propre personne. Plus Harpagon vieillit, plus cette volonté se développe en lui jusqu'à absorber toute son énergie. Il a tellement vécu pour préserver et accroître sa fortune que, désormais, il s'est identifié à ses écus. Son argent représente pour lui bien plus qu'un « cher ami », un « support », une « consolation » : c'est une véritable substance vitale, son « sang », ses « entrailles » (IV, 7). Pour ce vieillard, conserver sa vie, conserver son or, cela revient au même, et sa peur du vol et sa peur de la mort se rejoignent : la disparition de la cassette le tue, c'est « un assassinat » (V, 3).

Mais il ne lui suffit pas de conserver intacte sa fortune : l'or ne doit pas dormir dans la terre d'un sommeil qui ressemblerait vite à la mort. C'est par hasard qu'une si grosse somme est enfouie dans son jardin (I, 4), et dès qu'il le pourra, il la fera fructifier par l'usure : davantage d'or, davantage de vie ! Les chiffres comptent tant dans son existence qu'Harpagon semble parfois transformé en une véritable calculatrice humaine, si grande est sa virtuosité pour jongler avec les taux d'intérêt (I, 4). Mais Harpagon a bien d'autres façons de retenir la vie.

Avarice et amour

Loin d'être invraisemblables, les projets de mariage d'Harpagon sont des manifestations de l'instinct de conservation qui l'anime. Les vieillards amoureux de jeunes filles, qui paraissent souvent dans la littérature, correspondent à une réalité : la vieillesse se tourne vers la jeunesse, fraîche et vigoureuse, comme pour en absorber la force et se protéger par là de la mort. C'est le but d'Harpagon quand il pense épouser Mariane : elle ne lui apporte pas beaucoup d'argent, mais *une dot* bien plus précieuse, *sa jeunesse, sa grâce* – la meilleure des cures de jouvence pour cet ogre vieillissant. « Son maintien honnête et sa douceur m'ont gagné l'âme », confie-t-il (I, 4) : il apprécie et recherche en elle les qualités dont il est le plus dépourvu. Cependant, lorsque Cléante l'oblige à choisir entre sa « chère cassette » et Mariane, il renonce à sa fiancée et revient à ses anciennes amours : c'est une véritable lune de miel qu'il commence avec son argent, paré des charmes d'un objet perdu et retrouvé (V, 6).

Un vieillard plein d'énergie

Harpagon, par conviction et aussi pour se rassurer, aime se présenter comme *indestructible*. Il est fier de ses soixante ans, et Frosine, qui l'a compris, le flatte sur ce point (II, 5). Il faut voir Harpagon se rengorger quand elle l'accable de compliments sur sa mine, sa silhouette. Son agitation perpétuelle prouve d'ailleurs son énergie, augmentée encore, semble-t-il, par la perspective du mariage. Ses sens se réveillent, et la vue de son or ne lui suffit plus : les charmes de Mariane l'attirent et il ne cache pas ses appétits (« Si l'on n'y (dans le mariage) trouve pas tout le bien qu'on souhaite, on peut tâcher de regagner cela sur autre chose », I, 4).

Pour mieux manifester sa verdeur, il méprise les jeunes gens, les « blondins », ses rivaux, et il ne comprend pas « comment il y a des femmes qui les aiment tant » (III, 5). Cléante, accablé quand il apprend que son père se destine Mariane, feint de se sentir mal : Harpagon se moque de lui, et savoure le plaisir de se croire plus solide que son fils (« Voilà de mes damoiseaux flouets, qui n'ont non plus de vigueur que des poules », I, 4).

Un homme « dur », « serré », « sec », « aride »

L'instinct de conservation n'admet que les sentiments, les projets qui le renforcent : il exclut donc l'affection, la gratitude, qui seraient dans le cœur « dur », « serré », « sec », « aride » (II, 4) d'Harpagon, comme des fissures par lesquelles les autres pourraient l'atteindre.

Son « amour de soi » lui interdit d'éprouver le moindre amour pour ses enfants. Malgré « la manière austère » (I, 2) dont il les fait vivre, il se voit contraint pour eux à un minimum de dépenses qu'il trouve encore insupportable. Il sait aussi qu'ils attendent impatiemment sa mort pour être libres et profiter de ses biens. C'est pourquoi il accueillerait avec satisfaction leur disparition. Frosine lui prédit qu'il enterrera enfants et petits-enfants : « Tant mieux » ajoute-t-il, impassible (II, 5). Ne va-t-il pas jusqu'à regretter que Valère ait sauvé Élise ? « Il valait bien mieux *pour moi* qu'il te laissât noyer... » (V, 4). On pourrait admettre qu'Harpagon s'approprierait volontiers – comble de l'amour de soi – la vie de ses enfants pour prolonger d'autant la sienne.

Les droits d'un maître et d'un père

Dernier domaine sur lequel s'exerce l'appétit de possession d'Harpagon : celui des *droits* que lui donne sa situation de *maître* et de *père*. Eux aussi font partie de sa personne : qui les conteste ou les néglige met aussitôt en alerte son « instinct de conservation ». Aussi ce maître autoritaire exige-t-il de ses domestiques une obéissance totale quand il leur « distribue » ses ordres avec solennité (III, 1).

Il déteste ses enfants, mais légalement, ils lui appartiennent : c'est pourquoi il entend poursuivre en justice Valère qui lui a, en quelque sorte, volé sa fille (V, 5). D'Élise et de Cléante, il réclame, comme des sommes dues, le respect, la soumission (« Ne me dois-tu pas le respect ? » IV, 3). Il ne comprend les rapports avec autrui qu'en termes de « conservation » (ses enfants, ses domestiques), ou d'« appropriation » (Mariane).

Pour conserver et augmenter : méfiance et violence

« Y aurait-il quelque mystère là-dessous ? » (IV, 2). Harpagon se méfie de tout et de tous : le monde entier, croit-il, lui est hostile et cherche à le dépouiller ou à s'opposer à ses projets d'« appropriation ». Un aboiement au-dehors ? C'est un voleur qui s'approche (I, 5) ; ses enfants l'abordent en parlant à voix basse ? Ils complotent contre lui (I, 4), et pour peu qu'ils échangent quelques signes, il les soupçonne aussitôt d'en vouloir à sa bourse... L'esprit constamment en alerte pour déceler d'où viendra la menace, Harpagon use d'une parade : *cacher et se cacher*.

Il préfère enfouir son or dans son jardin car il se défie des coffres-forts, « amorce à voleurs » (I, 4). Pour se livrer à sa passion de l'usure, il apporte encore plus de soin à se cacher que ses malheureux clients et s'entoure des « plus grands mystères » : il utilise un intermédiaire – Maître Simon – et une maison empruntée. Il n'hésite pas à se dissimuler pour espionner discrètement son fils en conversation avec Mariane (IV, 2).

Le plus souvent, il cache aussi ses propres pensées, ses intentions. Avant de révéler ses projets de mariage, il « sonde » d'abord ses enfants : connaissent-ils déjà Mariane ? Qu'en pensent-ils ? Par système, il explore toujours les terrains nouveaux sur lesquels il s'aventure. Parfois il envoie un « éclaireur » – Maître Simon pour ses affaires, Frosine pour ses amours –, parfois il prospecte lui-même, mais abrité sous un masque trompeur.

● Un comédien hypocrite

Cette tactique réussit plus ou moins bien. Ainsi, ses enfants ne le prennent pas au sérieux quand il joue les pères accablés par la misère (I, 4). Lorsqu'il affirme, dans son contrat malhonnête, agir « selon sa conscience », « en toute bonne foi », et par bonté (II, 1), ce nouveau Tartuffe ne trompe personne : il ne réussit qu'à exaspérer Cléante.

Mais Harpagon cache parfois mieux son jeu. Il manœuvre avec une *habileté diabolique* Cléante pour lui faire avouer qu'il aime Mariane (IV, 3). Comme s'il avait oublié « le coup du diamant », Harpagon sait prendre le ton du père amical : il tutoie affectueusement Cléante, et lui demande conseil d'un air dégagé (« Oh ! çà... »). Devant les réticences de Cléante, changement de tactique : Harpagon plaide le faux (il lui donnerait généreusement Mariane si elle lui avait plu) pour savoir le vrai (l'amour de Cléante) ; il multiplie alors des expressions qui appâtent son fils : « Je ne veux point forcer ton *inclination*... », « Un mariage ne saurait être heureux où *l'inclination* n'est pas » ; pour rendre plus vraisemblable sa volte-face, il feint de trouver raisonnables les arguments qu'on pouvait opposer à son mariage (son âge, le qu'en-dira-t-on). La plus grande habileté d'Harpagon est de faire croire à Cléante qu'il a été l'artisan de son propre malheur, en dédaignant Mariane, et que son père ne fait que tirer les conclusions logiques de son mensonge. Cléante risque alors : « Je me résoudrai à l'épouser... » Mais ce n'est pas encore l'aveu attendu par Harpagon : jouant le rôle du bon père, de l'homme sage qui connaît l'amour et la vie, il retire son offre : « Je l'épouserai moi-même. » Cléante alors se précipite dans le piège : la ruse a réussi ! Fini le ton amical et bonhomme ; Harpagon jette le masque du père affectueux et reprend son vrai visage de *tyran coléreux*.

● La violence

Avant même de le voir sur scène, nous entendons sa voix grondeuse : « Hors d'ici tout à l'heure... » (I, 3). Harpagon ne décolère pas : comme un chien de garde, il aboie sans cesse devant ses biens. Plus il ruse et se contient, plus forte est ensuite l'explosion de sa colère (IV, 3). Il sait jouer de cette violence pour intimider ou terroriser. Il distribue généreuse-ment – pour une fois ! – les *insultes*, et « traître », « bourreau », « pendard » sont parmi les plus douces. Quand les menaces n'ont pas l'efficacité souhaitée, il recourt aux *coups* : il bat Maître Jacques (III, 1), réclame un bâton pour corriger son fils (IV, 3). Pour les châtiments plus importants, il exige l'assis-tance de la *justice* qui doit le fournir en commissaires, bour-reaux et instruments de torture. Ces violences verbales ou physiques ne sont que les manifestations d'un fonds de cruauté et de folie qui explose après le vol de la cassette.

Un grain de folie

Un psychiatre relèverait, dès le début de la pièce, bien des symptômes de déséquilibre mental : l'obsession, la *monoma-nie* qui dirige tout dans sa vie, la méfiance anormale, patholo-gique, qui caractérise une forme de folie nommée paranoïa, l'*instabilité d'humeur* marquée par des moments de calme (feint ou sincère) suivis d'accès de fureur (II, 3).

Dans cet esprit déjà perturbé par son projet contrarié de mariage, le vol de la cassette va provoquer une *crise de folie*, dont on peut observer les manifestations dans le monologue célèbre (IV, 7). Harpagon passe par des moments d'excitation, d'affolement intense, puis d'abattement profond avant que ne reprenne sa fureur.

Dans un premier temps, accablé par sa découverte, il n'essaie même pas d'identifier le voleur. Ce coup le tue. Puis il veut enquêter : il s'agite fièvreusement, frénétiquement.

Cette première vague de délire atteint son plus haut niveau, son paroxysme, quand il procède à sa propre arrestation (« Il se prend lui-même le bras »). Son excitation retombe : épuisé, physiquement et nerveusement, Harpagon retrouve une certaine lucidité (« Mon esprit est troublé »). Mais ce calme peu à peu se transforme en une profonde dépression ; l'avare semble bercer sa peine par une lamentation à mi-voix sur un rythme à trois temps (« Mon pauvre argent, mon pauvre argent, mon cher ami »). Harpagon atteint le fond du désespoir (« Je me meurs, je suis mort, je suis enterré »), et de nouveau le mouvement s'inverse. D'abord un instant de lucidité pendant lequel il réfléchit aux circonstances du vol, puis une volonté d'action, de mouvement, enfin la folie le reprend, mais sous la forme d'un désir sanguinaire de vengeance qui ne le quitte pratiquement plus jusqu'à la fin de la pièce. Seule la perspective d'infliger les plus atroces tortures apaise sa souffrance : le traitement que Maître Jacques réserve à un cochon de lait – l'égorger, lui griller les pieds, l'ébouillanter... – lui paraît tout indiqué pour son coupable (V, 2) ! Dans cette crise, se confirme chez Harpagon une tendance au *dédoublement de personnalité* – phénomène qui apparaît dans certains types de folie –, déjà sensible lorsqu'Harpagon craint de s'être trahi *lui-même* (I, 4). En ville, les commérages l'accusent de se voler lui-même (III, 1) – ce qu'il confirme presque à l'acte V : « Je crois, après cela, que je suis homme à me voler moi-même. » Dans le monologue (IV, 7), il s'arrête lui-même, veut se faire torturer, avant d'envisager de se pendre.

A la fin de la pièce, Harpagon retrouve, en même temps que sa cassette, un certain équilibre : le « monstre féroce » redevient l'avare imaginatif mais mesquin du portrait de Maître Jacques (III, 1), il grappille les frais d'un repas, un habit neuf... (V, 6).

▰▰▰ LES ÉCHECS D'HARPAGON

Comment ce personnage odieux, ce « maudit vieillard » qui a « le diable au corps » peut il prendre place dans une comédie ? Heureusement, il existe, dans ce bloc qu'est Harpagon, des fissures où s'enfonce notre rire et qui provoquent la défaite du tyran. En effet, tous ses projets échouent, et s'il n'était pas aussi méchant, il faudrait presque avoir pitié de lui. Ses colères et sa méfiance ne lui servent de rien et tout ce qu'il gardait jalousement lui échappe. Il cachait ses activités d'usurier : les voici connues de tous. Il enfouit son argent : on le déterre (IV, 6). Il convoite une jolie jeune fille : son fils la lui ravit. Il veut se venger, les coupables échappent au châtiment, et c'est de justesse qu'il récupère sa cassette.

Pourquoi tant d'*échecs* ? Harpagon ne serait-il qu'un « tigre de papier » ? Remarquons d'abord qu'il ne brille pas par son intelligence. Il obéit, dans sa conduite, à un instinct, et son cerveau, calcul des intérêts mis à part, manque de vivacité ! La Flèche sait provoquer chez Harpagon des réactions d'automate ridicule simplement par quelques mots bien choisis – « voler, volable, argent, avaricieux... » (I, 3) – qui agissent comme des déclics. Certains déchaînent sa colère, ou éveillent sa méfiance ; d'autres, au contraire, l'apaisent ou le charment (I, 5 ; III, 1). Qui les connaît, comme Frosine (II, 5) ou Valère, s'assure un certain contrôle du robot.

L'inconscience d'Harpagon – comique par son excès – dépasse tout ce que l'on peut imaginer. Lui, l'usurier, le voleur des autres et de lui-même, le maître autoritaire, appelle Élise « fille scélérate » ; il la prétend indigne d'un père tel que lui, qui ne cesse de railler et d'insulter ses enfants. Il lui reproche de n'avoir pas suivi « ses leçons ». Mais quelles leçons a-t-il données, sinon de fourberie, d'égoïsme et d'ingratitude ?

Son « amour » pour Mariane détraque aussi le « fonctionnement » d'Harpagon. Passion de l'économie et amour sont difficiles à concilier, bien que l'un et l'autre procèdent chez Harpagon de la même pulsion ! L'amour engage forcément dans des dépenses (Cléante en sait quelque chose !) : repas de fiançailles, bague donnée malgré lui (III, 7).

Même si la sottise, l'inconscience, les perturbations amoureuses ne suffisaient pas à expliquer l'échec d'Harpagon, rappelons-nous ce qui fut tant de fois oublié : *L'Avare* est une comédie. Harpagon, tout redoutable qu'il puisse paraître, reste un bouffon ridicule, et le bon droit, l'amour partagé, la jeunesse doivent l'emporter sur la tyrannie odieuse et la convoitise d'un vieillard sensuel.

Schéma récapitulatif

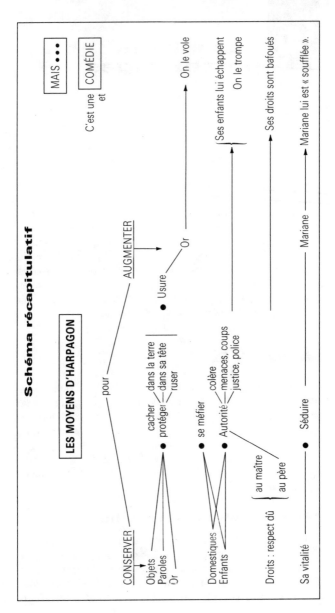

LES MOYENS D'HARPAGON

CONSERVER — pour — AUGMENTER

Objets, Paroles, Or → protéger ● cacher dans la terre / dans sa tête / ruser

● Usure → Or → On le vole

Domestiques, Enfants → se méfier ● colère / Autorité ● menaces, coups / justice, police

au maître / au père

Droits : respect dû → Ses enfants lui échappent / On le trompe

Ses droits sont bafoués

Sa vitalité ● Séduire — Mariane → Mariane lui est « soufflée ».

C'est une COMÉDIE et MAIS •••

4 Les autres personnages

On a trop souvent méconnu l'importance des personnages secondaires de *L'Avare*. Or une étude approfondie révèle en eux des personnalités bien différenciées que les acteurs devraient s'efforcer de rendre pour donner à ces rôles plus de poids en face d'Harpagon, protagoniste envahissant. Allons plus loin : derrière ces personnages se profilent des êtres humains à qui une *psychologie parfois complexe* permettrait de figurer dans le drame que serait *L'Avare*.

LA FLÈCHE

Créateur (à 38 ans) du rôle de La Flèche, Louis Béjart louchait et boitait (la réplique : « Je ne me plais point à voir ce chien de boiteux-là » (I, 3) aurait été écrite pour lui) ; le personnage attirait donc déjà l'attention par son physique, mais aussi par son nom évocateur qui fait penser à quelque valet agile et rapide, issu de cette « flore parisienne » (Dullin) qu'aimait Molière, dans la lignée des serviteurs de la commedia dell'arte.

Un bon valet de comédie

Plus *fidèle* que Scapin, La Flèche a su mériter la confiance de son maître Cléante qui passe ses nerfs sur lui, mais trouve aussi en lui un bon conseiller. La Flèche parle de « *notre* maître Simon, le courtier qu'on *nous* a donné » (II, 1) et dit : « *Nous* sommes bien » (IV, 6) : on mesure l'intérêt qu'il prend aux affaires de son maître. Deux qualités lui permettent de se montrer efficace : sa *persévérance* (il a « guigné *tout le jour* » la cassette, IV, 6) et sa *finesse* (il connaît bien son Harpagon et sait l'art de le mettre en colère ou de l'apaiser par des mots-déclics[1] »).

Un fripon

Voyons le revers de la médaille : *taquin* et *fripon*, La Flèche sait exploiter les situations : il provoque Harpagon (I, 3), mais s'amuse aussi à mettre Cléante sur des charbons ardents en lui faisant attendre le résultat de ses négociations avec l'usurier (II, 1). Son *impertinence* provocatrice (« Qui se sent morveux, qu'il se mouche », I, 3), sa *rancune* (il n'a pas digéré les coups administrés par Harpagon (I, 3), qui, « par ses procédés », lui a donné « des tentations de le voler » II, 1), son *ironie* (« Monsieur votre père... », II, 1) mais aussi sa relative *couardise* (« Je me retire », II, 4) amusent le spectateur.

Un style alerte

Enfin, son style – particulièrement lorsqu'il décrit Harpagon (II, 4) – ne manque ni de vie ni de finesse : il possède l'art du superlatif (« *de tous les* humains l'humain *le moins* humain », « le mortel de *tous les* mortels *le plus* dur »), de la comparaison (« Il est Turc là-dessus, mais d'une turquerie... »), de l'image (c'est lui qui définit le mieux Harpagon : « dur » et « serré », « sec » et « aride »). Il sait fort bien brosser une caricature (« Je vous prête le bonjour... »), user d'oppositions frappantes et de tours vifs (nombreuses sont ses phrases sans verbes) ; bref, c'est un beau parleur, qui sait varier ses effets : de longs membres de phrases pour rendre compte des louanges qu'Harpagon donne à profusion, des expressions brèves et sèches lorsqu'il s'agit de questions d'argent (II, 4).

A ce personnage de second plan, Molière confie cependant un rôle décisif dans le dénouement – le vol de la cassette. Trois

---

1. Voir plus loin « Les marionnettes et les mots » p. 63. Dullin propose dans sa mise en scène (I, 3) : « Harpagon lève sa canne pour frapper La Flèche, mais celui-ci, en même temps pour corriger la menace, retourne sa poche ; il l'offre en pâture à la colère d'Harpagon qui reste quelques secondes la canne en l'air un peu penaud. »

ans après *L'Avare*, il exploite toutes les possibilités théâtrales de La Flèche, en créant Scapin, le valet bondissant et éblouissant des *Fourberies*.

■■■■■■ FROSINE

La femme d'intrigue, l'entremetteuse apparaît souvent dans les pièces de Plaute et dans la comédie italienne. Frosine, Scapin en jupons (un peu vieilli : elle avoisine les 50 ans[1]), se livre à un commerce à la limite de l'honnêteté, secret parce que peu avouable, et délicat. Appâtée par l'argent (II, 5), elle se fait fort d'en tirer de quiconque, grâce aux talents dont elle est très fière. A-t-elle raison de vanter son habileté ? Se rend-elle sympathique ou odieuse ?

L'adresse

Frosine, débordante d'activité (son style vif foisonne de verbes d'action) sait fort bien *s'adapter au client* qu'elle sert. Avec Harpagon, son art consiste à mettre en valeur son adresse (« rien dont je ne vienne à bout » ; « talent merveilleux » II, 5), son zèle (« Je n'ai pas manqué de lui vanter votre mérite » II, 5) ; en somme, elle se présente comme un parfait détective privé : elle connaît les menus, les vêtements, les goûts de Mariane. Elle possède à fond *l'art du compliment* : direct parfois et très appuyé (« un vrai visage de santé », « jamais je ne vous vis un teint si frais... », II, 5), relevé d'exclamations admiratives (« Ah ! mon Dieu ! » II, 5) ; indirect parfois, mais également fort : lorsque Frosine décrit le mari idéal selon Mariane – le « vieillard barbe majestueuse » qui doit avoir au moins 56 ans –, Harpagon se sent concerné (il a 60 ans...). Les mots péjoratifs dont elle accable les jeunes gens (« ces animaux-là », « les blondins ») sonnent, par opposition, aux oreilles de l'avare, comme autant de compliments, et tout cela est amené avec une savante progression.

Frosine connaît aussi l'art des « *mots-déclics* » employés à propos : termes évoquant l'épargne, expressions comme

---

1. C'est Madeleine Béjart qui, à 50 ans, crée le rôle. Pour Dullin : « [Frosine], une ancienne coquette qui a de beaux restes, spirituelle, sans vulgarité. »

« maître », « bien » (= fortune) ou encore le futur qui assure à Harpagon son triomphe (« du bien dont vous serez le maître » II, 5) ; enfin et surtout, Frosine manie avec habileté les chiffres dont Harpagon est amoureux. Elle sait aussi *concilier l'inconciliable* : une belle jeune fille et un vilain vieillard. Elle pique l'intérêt d'Harpagon pour faire « passer » l'invraisemblance de ses affirmations par des sortes de devinettes (« Que pensez-vous que ce soit ? » (qu'aime Marianne) II, 5), par des tableaux évoqués en opposition (une galerie de vieillards séduisants/une galerie de jeunes sans saveur) ou par des contes à dormir debout (l'amant « répudié » par Mariane pour vieillesse insuffisante !). Seul lui fait défaut l'art de demander de l'argent ; mais qui soutirerait même un denier à Harpagon ? Toute autre tactique avec les jeunes gens. Avec Mariane, Frosine joue la *franchise* (« Je vous avoue que... » III, 4), s'apitoie pour la mettre en confiance. Elle insiste surtout sur... la mort imminente d'Harpagon en multipliant les termes funèbres : « vieux », « mort », « veuve », contrastent comiquement avec le : « Qu'est-ce que cela, soixante ans ? » (II, 5). Frosine souligne les avantages de son marché : la fortune et un second mari « plus aimable » qui... fait passer le premier ! Avec les amoureux, Frosine (IV, 1) dramatise volontairement la situation pour mieux leur faire sentir leur détresse. Aussi réclament-ils à genoux une assistance qu'elle leur offre, toute fière, gagnant ainsi leur reconnaissance admirative.

Sympathique ou odieuse ?

Frosine a tout pour se faire détester : duplicité, malhonnêteté, goût du gain (elle irait même jusqu'à soutirer de l'argent à la mère de Mariane, privée de tout : « Et j'ai l'autre côté, en tout cas, d'où je suis assurée de tirer bonne récompense. » II, 5), manque total de scrupules, cynisme même ; enfin, elle met Mariane dans une horrible situation. Et pourtant personne ne s'en prend à elle : ni Harpagon, ni Mariane qui lui obéit sans protester, ni les jeunes qui l'appellent à leur secours, ni... le spectateur. Pourquoi ? Sans doute parce qu'on sent en elle un fond humain, parce qu'elle porte sur Harpagon un jugement conforme à celui du spectateur (II, 5 : « Que la fièvre te serre, chien de vilain, à tous les diablos ! » ; IV, 1) ; parce que... elle finit par trouver le « bon camp » et que la pièce tourne bien.

■■■■ MAÎTRE JACQUES

Maître Jacques n'a pas, dans l'action, l'importance de certaines servantes du théâtre de Molière (Dorine dans *Tartuffe* ; Toinette dans *Le Malade imaginaire*) : sa dénonciation de Valère n'est qu'un rebondissement (V, 2). Il ne ressemble pas non plus aux valets rusés et ingénieux imités de la comédie italienne, comme Mascarille, Scapin, ou même La Flèche. Peut-être se rapproche-t-il davantage de Sganarelle, le valet de Don Juan : même *dévouement* à un maître indigne, même *franc-parler* qui appelle les coups, même *poltronnerie*. Ce rôle revient d'ordinaire à un acteur d'âge moyen, rougeaud et ventru. L'acteur D. d'Inès critique l'invraisemblance de cette tradition : on ne s'engraisse pas chez Harpagon et Maître Jacques suit le même régime que ses compagnons, prenant encore sur ses maigres portions pour nourrir ses chevaux (III, 1).

Le goût de l'ordre

Le petit monde de Maître Jacques obéit à un principe sacré : *chaque chose en son temps, chaque personne à sa place*. Les serviteurs doivent, de leur mieux, servir les maîtres. Maître Jacques remplit chez Harpagon la fonction de cuisinier et celle de cocher, mais prend soin de bien séparer l'une de l'autre : il attache beaucoup d'importance aux signes extérieurs de sa fonction : tablier ou casaque (III, 1). Gêné par la modicité des moyens que lui accorde Harpagon, il regrette de ne pouvoir faire valoir toutes ses capacités, mais montre une grande conscience professionnelle, composant avec soin un bon repas de fiançailles (III, 1). Aux serviteurs de servir, mais aux maîtres de commander ! Son sens de la hiérarchie pousse Maître Jacques à accepter sans maugréer l'autorité d'Harpagon (aussi est-il depuis longtemps à son service), mais lui fait haïr Valère qui, selon lui, dérobe une partie de cette autorité à leur maître ; du reste, Valère, dernier engagé, vole la place qui revenait à Maître Jacques en raison de son ancienneté – autre forme de hiérarchie. Enfin, en encourageant l'avarice d'Harpagon, Valère le rend encore plus ridicule en ville et dégrade ainsi un peu plus son image de maître ; or Maître Jacques se sent solidaire d'Harpagon, les moqueries rejaillissent sur lui : « On *nous* jette de tous côtés cent brocards à votre sujet ! » (III, 1). Un maître a le droit de battre son domestique : Maître Jacques n'en veut pas à Harpagon des coups qui récompensent sa franchise ! Mais que Valère le raille, le batte à son tour, il ne peut le supporter : il ne reconnaît à l'intendant, domestique comme lui, aucun droit sur lui. Ces griefs accumulés le poussent à la vengeance.

La dispute entre Harpagon et Cléante heurte son sens des convenances : les maîtres se doivent davantage de respect mutuel. Il s'emploie donc à les réconcilier pour rétablir, entre père et fils, une harmonie conforme à son idée de l'ordre.

Des traits divers et même contradictoires

Maître Jacques occupe deux emplois, on pourrait dire aussi que deux hommes cohabitent en lui : l'un plutôt sympathique, l'autre beaucoup plus suspect. Ce domestique *consciencieux* connaît bien les défauts de son maître : il lui témoigne pourtant une certaine tendresse (III, 1). La restriction naïve qui accompagne sa confidence – « et après mes chevaux, vous êtes la personne que j'aime le plus » –, prouve sa sincérité. Maître Jacques offre un amusant mélange de *naïveté* et de *lucidité*. Il est capable de commenter ironiquement – à mi-voix ! – les ordres d'Harpagon (« Châtiment domestique », « Oui, le vin pur monte à la tête »), mais, interrogé à son tour, il prononce inconsidérément le mot tabou : « Oui, si vous me donnez bien de l'*argent*. » Ni le respect que sa position lui impose, ni l'affection ne le rendent servile : au contraire, il croit devoir moraliser Harpagon, et, avec un certain courage, il le sermonne au nom de la « charité » due au prochain (III, 1). Avec *franchise*, il lui dit ses quatre vérités, et son discours ne manque pas d'éloquence. Cette *audace* – provoquée par une irritation trop longtemps contenue – retombe vite. Maître Jacques reconnaît lui-même sa *poltronnerie*. Devant l'intendant, il fanfaronne, menace même ; sans finesse, il prend pour des dérobades de Valère une tentative de conciliation polie, puis des menaces voilées (III, 2). Certes, l'intendant gentilhomme traite avec mépris les valets dont il partage un temps l'existence, ce qui blesse l'amour-propre du vieux serviteur jaloux. Mais la vengeance de Maître Jacques ne dépasset-elle pas l'offense subie ? Dans un premier temps, il n'hésite pas à porter un faux témoignage en accusant Valère du vol de la cassette : avec aplomb et duplicité, il manœuvre Harpagon et le commissaire. Sa couardise reprend vite le dessus, et il recommande à Harpagon : « Ne lui [à Valère] allez pas dire au moins que c'est moi qui vous ai découvert cela » (V, 2). *Susceptible, rancunier*, cet homme sensible qui s'attriste devant ses chevaux affamés, se réjouit à l'idée de voir torturer un innocent qui lui a manqué de respect ! On en vient à se demander si le délire sanguinaire du maître ne s'est pas communiqué au domestique...

Maître Jacques, malgré son rôle modeste dans *L'Avare*, s'est imposé à la postérité : son nom est même passé dans la langue pour désigner un homme à tout faire. Cette réussite tient sans doute à son côté comique, mais aussi à l'authenticité de son caractère populaire.

■ CLÉANTE

La violence de Cléante, sa passion, son cynisme peut-être ont paru justifier le proverbe : « Tel père, tel fils. » En fait, pour le mieux juger, il faut suivre son évolution tout au long de la pièce.

Cléante au début de la pièce

Ce jeune homme n'a pas encore 25 ans[1]. Selon Harpagon, il est lardé de rubans « depuis les pieds jusqu'à la tête », porte perruque, promène par la ville « un somptueux équipage » et donne « furieusement dans le marquis » (I, 4). Cléante, lui, ne parle que d'« habits raisonnables » (I, 2). Qui croire ? Sûrement pas Harpagon dont l'avarice fausse le jugement. Pour un jeune homme, « raisonnables » signifie sans doute « *à la mode* » ; en effet, vers 1668, les gens « dans le vent » rempla-

---

1. Il n'a pas atteint la majorité (25 ans), puisqu'il ne dispose pas encore des biens hérités de sa mère (II, 1).

çaient les aiguillettes (lacets) que conseille Harpagon par des rubans et se coiffaient de perruques, sans que ce fût extravagant. N'imaginons pas Cléante ridiculement coquet comme Mascarille des *Précieuses Ridicules* : il souhaite seulement abandonner la mode périmée suivie par son père, on le comprend.

Comme Harpagon ne lui donne rien, Cléante a besoin pour s'habiller – même sans coquetterie excessive – d'un minimum d'argent. Aussi joue-t-il (du moins le prétend-il devant Harpagon, I, 4) ; en fait, il emprunte et s'endette comme il l'avoue à sa sœur (« Il faut que maintenant je m'engage », I, 2), mais il ne peut le révéler à Harpagon.

Cette prodigalité (toute relative) l'oppose à son père avare. Quel *fils* est donc Cléante dans les premières scènes ? C'est un *révolté* qui accable son père de mots durs qu'on lui a reprochés : devant Élise, il parle de « tyrannie », « d'avarice insupportable ». Mais ne s'agit-il pas d'une réaction normale contre un tyran qui risque de s'opposer à ses désirs (I, 2) ? C'est par exaspération que Cléante, loin de son père, « jappe », mais, déjà à la scène 4, le fait qu'il « parle bas » avec Élise (il hésite à parler le premier) trahit sa crainte. Il se montre assez soumis et conscient des pouvoirs d'un père (I, 2). Face à Harpagon, il n'est ni cynique, ni rusé comme Valère. En fait, jusqu'à l'acte IV, Cléante ne connaît pas vraiment son père : il pâtit de sa passion pour l'or et de sa colère, mais il ne sait pas encore tous les aspects de son vice ; il ne hait pas Harpagon.

Cléante vient de tomber amoureux (I, 2) : ce nouvel élément va l'opposer à son père dans un autre domaine. Avant ce « combat », quel *amoureux* est Cléante ? Plein de fougue, il fait un portrait exalté de Mariane, n'arrive même pas, étouffé par l'enthousiasme, à trouver ses mots (I, 2), ni à arrêter son éloge. Son style ardent s'orne de tournures précieuses à la mode (Cléante s'habille « moderne », mais parle « moderne » aussi !). Cléante a sans doute lu les romans à la mode pleins d'amours impossibles, de rivalités, de « persécutions des pères » (étrange coïncidence !), de jalousies, d'« enlèvements ». C'est, au début du moins, un amant romanesque, mais encore incapable d'affronter la réalité et « léger » (Dullin) : comme solution, il n'envisage que la fuite avec Mariane (I, 2) ; quand il apprend que son père est son rival, il se sent mal (I, 4).

En somme, en ce début de pièce, Cléante a du « charme juvénile » (Dullin), mais on discerne déjà sous ces apparences un caractère *passionné* : témoins la longueur de ses répliques (I, 2), son portrait de Mariane[1], ses solutions extrêmes, mais aussi sa colère contre Harpagon, contre La Flèche (II, 1), contre son usurier (II, 1). Il lui manque le sens pratique, la maîtrise, la maturité de Valère. Or, sur lui, en un jour, s'accumulent des événements qui lui découvrent son père tel qu'il est.

Dès lors son caractère évolue, comme son style. A la fin de *L'Avare*, Harpagon n'a pas changé : peut-on reconnaître Cléante à l'acte V ?

Que devient Cléante au long de la pièce ?

Quatre « coups durs » : Son « apprentissage » de la vie s'effectue au rythme de ses désillusions ; après chaque déception, renaît sa confiance, ce qui indique sa naïveté. Son père le questionne sur Mariane, il répond avec enthousiasme (« Toute honnête, et pleine d'esprit... », I, 4) ; mais Harpagon se la destine et ils sont rivaux : *première désillusion*. Son père est un usurier malhonnête ; Cléante en est scandalisé : *deuxième désillusion*. Malgré cela, à l'acte IV (sc. 3), il se laisse prendre au piège d'Harpagon ; mais l'avare révèle sa ruse : *troisième désillusion* ; voilà Cléante à nouveau « révolté, écœuré » (Dullin). Cela ne l'empêche pas de se laisser duper une nouvelle fois et de croire au fragile accord arrangé par Maître Jacques (IV, 4) et à la « bonté » de son père. Il se lance dans des « effusions » (Dullin) avec sincérité et s'accuse même de ses « fautes » : « Je vous demande pardon, mon père, de l'emportement que j'ai fait paraître » (IV, 5) ; *quatrième désillusion* : Harpagon est plus odieux que jamais. La confiance de Cléante ne renaîtra plus.

Mais quelle *naïveté* ! Lorsque, à l'acte IV (sc. 3), Cléante fait la « fine bouche » sur Mariane, comment oublie-t-il l'éloge sans réserve qu'il en a fait (I, 4) à son père ?

---

1. Dullin accentuait cette fougue par sa mise en scène : « le ton de Cléante, d'abord tendre, *s'échauffe*, puis *s'exalte*... et quand Cléante ne trouve plus de mots, il *embrasse* Élise avec *transport*. »

I, 4	IV, 3
Harp. : Comment, mon fils, trouvez-vous cette fille ? *Cl.* : Une fort charmante personne. *Harp.* : Sa physionomie ? *Cl.* : Toute honnête et pleine d'esprit. *Harp.* : Son air et sa manière ? *Cl.* : Admirables, sans doute.	*Harp.* : Oh ! ça (...) que te semble, à toi, de cette personne ? *Cl.* : Ce qui m'en semble ? *Harp.* : Oui, de son air, de sa taille, de sa beauté, de son esprit (...). *Cl.* : A vous en parler franchement (...). Son air est de franche coquette ; sa taille est assez gauche, sa beauté très médiocre, et son esprit des plus communs.

Le réveil du « jeune coq » (Dullin). Ce naïf cependant cherche sa voie : dès l'acte II (sc. 2), il a gagné en aplomb (il ne se sent plus mal), s'indigne et condamne son père au nom de la morale. Puis il ruse, utilise des paroles à double sens (III, 6) ; il complimente Mariane et lui offre le diamant d'Harpagon (III, 6). Cette scène souligne ses progrès et son art du stratagème, de l'ironie. Enfin (IV, 3), « Cléante se dresse comme un jeune coq » (Dullin), ne parle plus de morale, se crispe dans une attitude de refus complet ; il déclare la guerre à Harpagon : « J'aurai d'autres secours (...) qui combattront pour moi » : c'est lui rappeler cruellement sa vieillesse, sa laideur.

Il préfère désormais « l'ironie insolente et goguenarde[1] » : « Je n'ai que faire de vos dons » (IV, 5). A l'acte V, passé maître en chantage, il torture moralement son père : « Et vous pouvez *choisir*, ou de me donner Mariane, ou de *perdre votre cassette* » (V, 6). Reconnaît-on le fils du début ?

L'amant aussi a changé : finies les déclarations précieuses, abandonnée la fugue romanesque ; il a recours à une entremetteuse (Frosine) et entraîne Mariane dans ses stratagèmes, lui conseillant presque le chantage auprès de sa mère : « Servez-vous de tout le pouvoir que vous donne sur elle cette amitié qu'elle a pour vous. » (IV, 1).

Passionné mais passif. Cette activité néanmoins reste superficielle, brouillonne et cache finalement une certaine passivité. Tout d'abord, Cléante attend, pour partir avec Mariane, « la fortune que *le ciel* voudra (leur) offrir » (I, 2) ;

---

1. Rousseau, *Lettre à d'Alembert sur les Spectacles* (1758).

puis il charge *La Flèche* des tractations avec l'usurier (II, 2) ; il s'en remet à *Frosine* pour servir son amour (IV, 1) ; enfin, c'est *La Flèche* qui a l'idée de voler la cassette.

Condamnable ou non ?

Cléante agace parfois par sa *légèreté* (« Voilà un jeune oisif qui ne fait œuvre ni de ses dix doigts ni de son cerveau[1] » et par les moyens peu recommandables auxquels il a recours. Mais il se trouve dans une situation inextricable : il ne peut ni travailler sans déchoir de sa condition, ni fuir : il ne lui reste que l'emprunt.

Son cynisme (il s'engage à ce qu'Harpagon meure « avant huit mois » et souhaite ouvertement sa mort) égale bien en violence les réflexions d'Harpagon sur ses enfants. J.-J. Rousseau juge Cléante : « C'est un grand vice d'être avare et de prêter à usure ; mais n'en est-ce pas un plus grand encore à un fils de voler son père, de lui manquer de respect, de lui faire mille insultants reproches ? » Rousseau paraît bien sévère : remarquons d'abord que ce n'est pas Cléante qui décide de voler la cassette ; par ailleurs, il joue dans cette affaire le bonheur de toute sa vie ; enfin, Harpagon ne mérite plus le nom de père : est-ce un véritable père qui regrette que sa fille ne se soit pas noyée (V, 4) ? A père sans amour, fils sans affection.

Ce caractère ambigu a rarement trouvé de défenseur chez les philosophes, les critiques, les acteurs : J. Toja, de la Comédie-Française, nous écrivait : « C'est un rôle que je n'aimais pas beaucoup jouer ; j'ai toujours préféré jouer Valère » ; peut-être à cause de la complexité changeante qui fait de Cléante un être parfois antipathique, mais excusable, violent mais parfois généreux, en pleine évolution.

■■■■ VALÈRE

Moins sévèrement jugé que Cléante, Valère a souvent été considéré comme un « jeune Tartuffe », un hypocrite sans spontanéité ; il convient de nuancer ces appréciations.

---

1. E. Fabre, *Notre Molière*, 1951, p. 175.

Le héros romanesque passionné

Cléante a lu les romans à la mode, Valère, lui, a vécu et vit encore un roman. (Don) Valère (d'Alburcy), Napolitain âgé de 23 ans[1], est de noble naissance. Il a connu des aventures extraordinaires : chassé par une révolution, il a failli périr en mer, a perdu ses parents, a été recueilli et s'est lancé à la recherche de sa famille.

Si le spectateur n'apprend ses origines qu'à l'acte V, il reconnaît cependant bien avant les « marques » d'un *cœur noble* : Valère s'exprime souvent avec éloquence (I, 5) ; on mesure son *courage* en apprenant qu'il a sauvé Élise de la noyade (« cette générosité surprenante qui vous fit risquer votre vie... », I, 1) ; Maître Jacques croit ironiser en lui donnant du « *Monsieur* l'intendant, *Monsieur* le nouveau venu » (III, 1 ; III, 2), mais en fait il sent que cet intendant est bien distingué pour son emploi ; du reste, Valère se conduit en maître et traite le « cocher-cuisinier » de « faquin », terme de mépris réservé aux valets ; il le raille, puis sa patience moqueuse disparaît quand Maître Jacques passe la mesure (« vous êtes un impertinent ») et... il rosse le domestique (III, 2). A la fin de la pièce, il reprend avec Harpagon le ton qui convient à sa condition, le rabroue avec hauteur : « Qui songe à votre argent dont vous me faites un *galimatias ?* » (V, 5) et s'indigne : « Sachez que j'ai le cœur trop *bon* » (V, 5). Sa fierté de gentilhomme et son sens de l'honneur ne plient même pas devant le *seigneur* Anselme (V, 5) et ses gestes en témoignent (« en mettant *fièrement* son chapeau » : seuls les gentilshommes peuvent rester couverts). Enfin ce n'est pas l'intérêt qui le guide (« Je proteste de ne rien prétendre à tous vos biens », V, 3).

Son amour aussi porte la marque de sa « qualité ». Valère présente les traits caractéristiques de l'*amant précieux*, utilisant les qualificatifs galants, les hyperboles (« ne m'*assassinez* point », I, 1), les métaphores (« mes feux » = mon amour), les métonymies (« ses beaux yeux » = Élise, V, 5), les tours superlatifs (« mille et mille preuves »). Préciosité dans l'expression, mais aussi dans l'attitude : Valère entend, en parfait amant, mériter l'amour d'Élise (« Ce n'est que par mon seul

---

1. Valère nous apprend qu'il fut sauvé 16 ans auparavant ; il avait alors 7 ans ; il a donc au lever du rideau 23 ans (V, 5).

amour que je prétends auprès de vous mériter quelque chose », I, 1) ; il s'offusque qu'elle puisse le croire capable d'infidélité (I, 1) et prétend brûler d'une « ardeur toute pure et respectueuse » (V, 5) ; enfin, honnête homme amoureux, il avoue sans détour à Harpagon son « crime » et met Élise hors de cause : il est prêt à assumer seul cette « offense » (V, 5).

Valère, un amoureux raisonneur et fade ? C'est ainsi qu'on le présente parfois ; or tout, dans sa conduite, prouve sa *passion* : il serait, pour Dullin, « plus près d'un personnage de Stendhal » ; fougueux et volontaire, il sacrifie tout à son amour : nom, patrie, famille, identité. Mais ce passionné a subi les épreuves de la vie, qui lui ont donné le sens des réalités qui fait défaut à Cléante : c'est la ruse et non la fuite qu'il choisit.

L'habileté de l'intendant

On peut s'étonner, avec Denis d'Inès, de l'invraisemblance de la situation de Valère[1]. N'est-ce pas plutôt une preuve de son habileté ? Il a su persuader Harpagon de son utilité, tout en le laissant satisfaire son désir de tout commander : entreprise difficile, qui convient à son caractère volontaire, et réclame « d'*adroites* complaisances » (I, 1). Valère expose sa « tactique » à Élise : la ruse et la flatterie (I, 1). Il se fait « dompteur d'esprit » (voir ses métaphores cavalières : « naturels *rétifs*, cabrer, mener, conduire », I, 5) et donne deux fois la preuve de ses talents (I, 5 ; III, 1) :
— Il sait, mieux que Cléante, supporter les « coups durs » avec *flegme* et maîtrise : un simple « Eh ! Eh ! » marque sa surprise devant sa situation embarrassante d'arbitre entre Élise et son père (I, 5) ; il réagit sans émotion à l'accueil très violent d'Harpagon (V, 3).
— Il sait, avec à-propos, se tirer d'un mauvais pas : il abonde dans le sens d'Harpagon (I, 5), applaudit à tout ce qu'il fait (I, 1), et ne craint pas d'exagérer : sans même connaître l'objet de la discussion, il donne raison à l'avare et, sans discrétion, répète deux fois la même idée pour mieux lui plaire : « Vous ne

---

1. « (...) Quel besoin de cet intendant, assez bizarrement introduit chez l'avare qui ne laisse certainement à nul autre le soin de sa fortune ? » (*Dictionnaire des personnages*, Laffont-Bompiani, 1960).

sauriez avoir tort » = « Vous êtes toute raison » (I, 5) ; il approuve avec force (« sans contredit... »).

Mais en même temps, il nuance ses affirmations pour essayer de dissuader Harpagon de ses projets de mariage pour Élise (I, 5).

– Il sait, au bon moment, parer à l'imprévu : Maître Jacques ne veut pas conduire les chevaux ? Valère engagera « le voisin Picard » à sa place (III, 1).

– Il sait, en *bon comédien*, changer prestement de ton, par exemple lorsqu'Harpagon arrive impromptu (I, 5) : « Et si votre amour, belle Élise, est capable d'une fermeté... Oui, il faut qu'une fille obéisse à son père... ».

– Il sait même imiter le style d'Harpagon pour mieux « s'ajuster » (I, 1) à lui : il multiplie les phrases exclamatives et interrogatives (il singe par là les colères de l'avare : « *Voilà* une belle merveille que de faire bonne chère avec bien de l'argent ! » ; or, Harpagon vient d'employer ce même tour : « *Voilà* leur épée de chevet, de l'argent ! », III, 1) ; il reprend les mêmes termes et tics verbaux : Harpagon parle à Élise de « l'autorité que le *ciel* » lui « donne » sur elle ; Valère, plus loin, la conseille : « Vous devez rendre grâces au *ciel* de l'honnête homme de père qu'il vous a *donné* » (I, 5) ; sans oublier le fameux « sans dot » et les multiples mots hyperboliques : « (faire) crever (tout le monde) », « assassiner (à force de mangeaille) », « coupe-gorge... » (III, 1), qui annoncent presque le monologue (IV, 7). Enfin, son « sermon » à Élise est de ceux que doit prononcer tous les jours Harpagon (I, 5).

– Il sait aussi prendre le ton doctoral et pédant, faire l'instruit (« les préceptes de la santé », III, 1), en s'appuyant sur l'autorité d'un auteur ancien, et mépriser comme il faut les autres domestiques (III, 1).

– Mais il sait, sous ses longues périodes respectueuses et ses formules d'atténuation (I, 5), formuler une critique très vive de l'avare, et lui montrer sa responsabilité : il engagera sa fille dans un malheur irréparable : (« toute sa vie... jusqu'à la mort »).

Comment juger Valère ?

Cette comédie (dont il a conscience : « La sincérité souffre un peu au métier que je fais », I, 1) peut déplaire, surtout

quand elle s'exerce aux dépens d'un domestique consciencieux, Maître Jacques, qui ne sait rien de ce double jeu (III, 1).
Mais les *excuses* ne lui manquent pas : tous les coups sont
permis contre un adversaire aussi impitoyable qu'Harpagon.
Reconnaissons avec Valère que « ce n'est pas la faute de ceux
qui flattent, mais de ceux qui veulent être flattés » (I, 1) ; pour
lui, l'amour justifie tout et c'est une passion qui ne lèse
personne. Peut-on parler de son cynisme ? En fait, un véritable
cynique exposerait-il aussi sincèrement sa tactique à un être
cher (I, 1) ? Enfin son hypocrisie ne dure qu'un temps et
encore au service de la meilleure des causes, celle du « Dieu
Amour » (V, 3). Ce cynisme de surface recouvre en fait une
certaine *naïveté* : Valère se fait des illusions quand il pense
pouvoir triompher d'Harpagon ; c'est David contre Goliath ;
seuls le hasard et les reconnaissances sauveront Valère (V, 5).

▬▬▬▬ ÉLISE

Sa condition de femme (qui, au XVIIe siècle, signifiait assujet-
tissement) mais surtout de fille d'Harpagon met Élise dans une
situation bien pénible ; elle est cependant moins éprouvée par
le sort que son frère Cléante : Harpagon n'est pas son rival
direct et Valère, son amant, la soutient par sa présence. Au
cours de la pièce, elle évolue donc beaucoup moins que
Cléante et c'est le même fonds de caractère qui marque ses
relations avec son père, son frère et son amant. On reconnaît
en elle des signes de la passion qui emporte Harpagon et
Cléante, mais la vie l'a déjà façonnée, « bridée » et désabusée.

Un fonds de tempérament
émotif, passionné mais délicat

La fadeur et la maîtrise raisonnée qu'on a reprochées à Élise
correspondent mal à son âge : elle n'a sans doute pas 25 ans[1].
La vivacité de certaines de ses réactions confirme sa jeunesse :
elle pousse un « cri » (Dullin) quand Harpagon lui parle

---

1. Voir Cléante page 44, note 1. Par ailleurs, lors de la distribution
initiale, le rôle fut créé par Mlle Molière, alors âgée de 22 ou 25 ans.

mariage (I, 4) ; des gestes passionnés (« à genoux devant son père », V, 4), des exclamations (I, 1 ; V, 4) lui échappent parfois.

Un amour profond : son admiration enthousiaste pour Valère, qui s'exprime par une longue envolée rehaussée de termes forts (I, 1), laisse assez voir la profondeur de son amour. N'est-ce pas aussi une preuve de « flamme » pour une jeune fille de cette époque que de « s'engager » (se fiancer) sans le consentement de son père tout-puissant (Cléante n'a pas encore osé l'imiter ; I, 2), que de résister catégoriquement à Harpagon qui lui destine comme époux un vieillard (« Non, vous dis-je » ; « C'est une chose où vous ne me réduirez point » ; I, 4) ?

Des solutions extrêmes : cette fougue amène Élise, comme Cléante, à envisager des issues romanesques et excessives ; il projette une fugue, elle se suiciderait si on la mariait à Anselme : « Je me tuerais plutôt que d'épouser un tel mari. » ; Harpagon réprouve cette « audace » (I, 4).

Des propos vifs : elle est à la limite de la correction quand elle lance à Harpagon : « Je gage qu'il (le choix d'Harpagon) ne saurait être approuvé d'aucune personne *raisonnable* » (I, 4). C'est lui dire en fait : « Vous êtes fou ». Il faut comprendre l'importance de ses reproches à Harpagon : « Prenez des sentiments un peu plus humains » signifie « vous êtes inhumain » ; « Je vous conjure, par l'amour paternel... », c'est lui rappeler son manque total de tendresse ; elle condamne aussi la « passion » – emportement – de son père et les « dernières violences du pouvoir paternel » (V, 4).

Une délicatesse innée : cet enthousiasme juvénile s'accompagne cependant d'une *douceur naturelle*. Élise n'aime pas la colère : « Ne nous mettez point en colère », dit-elle à Harpagon (I, 4) ; elle préfère la tendresse : quand Cléante parle de sa mère disparue, ce n'est que pour évoquer l'héritage qu'il doit en recevoir (II, 1) ; Élise, elle, exhale sur la morte un regret sincère : « Il est bien vrai que tous les jours il (Harpagon) nous donne de plus en plus sujet de regretter la mort de notre mère. » (I, 2). Fille mesurée, mais aussi sœur estimée, en qui Cléante place sa confiance en lui révélant son « secret » (I, 2) ; compatissante, elle aime Cléante, lui témoigne son affection confiante : « Oui, je conçois assez, mon frère, quel doit être votre chagrin » (I, 2). C'est avec lui qu'elle se sent le plus à l'aise. Avec Mariane, elle montre la même amabilité et lui réserve un accueil chaleureux (IV, 1). Tendresse pour Valère aussi, bien sûr. Enfin et surtout, même envers Harpagon, Élise fait preuve de délicatesse (ne pas le haïr, c'est déjà beaucoup...) ; on la sent même « gênée dans ses sentiments filiaux par les paroles de Valère » (Dullin[1]) (I, 1).

De dures conditions de vie

Mais la vie a marqué ce tempérament. On peut imaginer sa jeunesse, confinée chez son père (est-ce bien différent du couvent ?). Comme à Cléante, toute coquetterie lui est interdite. Son état de femme lui complique l'existence.

Ainsi cloîtrée, elle ne connaît rien du monde : naïvement, elle croit au discernement de ces ignorants de médecins (que Molière a tant de fois dénoncés) ; c'est Valère qui doit la détromper (I, 5) ! Sans cesse querellée (tous les jours, semble-t-il, puisqu'Harpagon lance à Cléante : « Je querellais *hier* votre sœur » (I, 4) et qu'il s'apprête à recommencer : « Ah ! fille scélérate... » (V, 4) par un père qui ne lui donne du « ma petite fille » ou du « ma mie » que par ironie, mal payée de sa tendresse, elle est constamment en butte à la colère de celui qui la « donne » (= la vend) en mariage à un vieillard (I, 4).

Un tempérament « contenu » : mesure, respect et passivité

Dans ce climat austère, Élise a perdu de sa spontanéité : parfois elle ne peut réprimer son premier mouvement, mais d'ordinaire, elle se réfrène (surtout avec son père) et s'est façonné une sorte de seconde nature, pleine de *mesure*. Cléante tempête, Élise ne s'emporte pas ; il ruse, elle préfère la

---

1. Dullin propose : « Élise (à la sc. 2 de l'acte I) sera beaucoup plus expansive avec son frère qu'elle ne l'a été avec Valère (...) ; la scène d'amour qu'elle n'a pas osé jouer, elle va s'y abandonner avec délicatesse. »

franchise. Enfin, elle ne cherche pas à critiquer ou à voler Harpagon et le respecte plus que ne le mérite un tel père. Sa vie est marquée par *l'inquiétude* (le mot revient deux fois à l'acte I, sc. 1) : elle tremble devant « l'emportement d'un père » (I, 1) et n'ose parler haut[1] (I, 4) ; elle craint aussi le « qu'en dira-t-on » (« le blâme qu'*on* pourra m'en donner », I, 1) ; elle se défie des hommes – même de Valère – comme une femme déjà trompée et déçue ; d'où sa tendresse contenue devant un amant entreprenant (I, 1). Sa crainte incessante la pousse à ne se livrer qu'à demi (I, 2). Cette jeune fille désemparée a besoin d'aide : elle se repose sur Valère et paraît toujours avec lui (sauf I, 2 et I, 4, mais alors son frère l'accompagne) ; puis sur Frosine (IV, 1) qu'elle supplie.

Cette perpétuelle retenue transparaît dans le style d'Élise : elle s'exprime souvent par sentences, phrases toutes faites qui excluent la spontanéité : « *Tous les hommes* sont semblables par les paroles, et ce n'est que les actions qui les découvrent différents » ; « qu'avec facilité *on* se laisse persuader... » (I, 1). Elle parle souvent sur un ton plaintif (I, 1 ; V, 4), ou simplement se tait, confiant à Valère le soin de tout diriger (I, 5) et soulignant par là sa passivité. Le contrôle qu'elle exerce sur elle-même use nerveusement Élise, et Dullin la voit « exaspérée, prête à pleurer » (I, 4), bien qu'elle reste dans « une attitude décente ».

Pour juger équitablement Élise, il faut comprendre les divers aspects de son caractère : blâmer son insolence, c'est méconnaître sa jeunesse, son naturel passionné pour une juste cause – son bonheur ; par ailleurs, sa violence est toute relative ; Harpagon méritait pire... Lui reprocher sa fadeur, c'est oublier ses conditions de vie, si lourdes pour une jeune fille, et l'effort qu'elle doit fournir pour arriver à se contenir. Il faut avoir pitié d'Élise car, sans un heureux hasard et sans... la comédie, elle aurait vieilli avant l'âge : si Harpagon n'a pas déjà « éteint » son fils, il a déjà « usé » Élise ; plus tard, le mal n'aurait plus été réparable : les derniers sursauts d'un naturel juvénile auraient disparu...

---

1. Dullin accentuait ce trait par un jeu de scène : « Élise paraît par la porte du fond gauche, mais, intimidée par la présence de son père, elle ressort à reculons. »

Mariane apparaît tard dans la pièce (III, 3) ; mais le spectateur la connaît bien avant de la voir ; Cléante en fait l'éloge
enthousiaste à sa sœur (I, 2), à son père (plus discrètement :
I, 4) : gracieuse, distinguée, belle, modeste. Frosine la décrit à
sa manière pour appâter Harpagon : Mariane raffolerait des
vieillards à lunettes (II, 5). Qui croire ? Sans doute jeune, après
des aventures romanesques, elle se trouve dans une situation
critique : elle a perdu sa fortune et connu l'esclavage (V, 5),
elle vit pauvrement avec sa mère et « l'infortune lui a ouvert les
yeux sur bien des choses » (Dullin).

D'irréprochables vertus familiales

Cléante ne se trompe pas quand il insiste sur les qualités
filiales de Mariane : pour sa mère malade, elle « a des sentiments d'amitié qui ne sont pas imaginables », la « sert, la plaint
et la console » (I, 2). En effet, Mariane confirme : « J'ai de la
considération pour ma mère (...), et je ne saurais me résoudre
à lui donner du déplaisir » (IV, 1). Elle appartient à une famille
étroitement unie avant ses malheurs : « C'est vous que ma
mère a tant pleuré ? » demande-t-elle à Anselme, son père
retrouvé, pour qui elle a gardé aussi une grande tendresse : ne
précise-t-elle pas à Cléante qu'il doit obtenir, pour leur
mariage, le consentement d'Anselme (V, 6) (Cléante et Élise
se passeraient bien de celui d'Harpagon !) ?

L'amante : tiédeur ou réserve ?

On ne retrouve chez l'amante ni l'empressement ni la
fougue juvénile des autres jeunes gens de la pièce. Réserve ou
tiédeur, lorsque Mariane avoue à Frosine que les visites de son
amant ont fait « *quelque* effet dans [son] âme » et qu'elle se
borne à dire : « Si l'on pouvait mettre les choses à mon choix,
je le prendrais *plutôt qu'un autre* » (III, 4) ? Quel manque
d'ardeur, quelle indécision presque dans ses réponses à
Cléante qui s'inquiète amoureusement : « Point d'autre appui
pour moi dans votre cœur que de simples souhaits ? » (IV, 1).
Retenue aristocratique peut-être, mais enfin, avec Frosine et

Cléante, ses « alliés », Mariane ne risquerait rien à montrer un peu plus de passion et de spontanéité. Les mots précieux (mais affadis) qui « émaillent » son langage (« répugnance », « offensée », « aveu », III, 7) témoignent de cette tiédeur. Nous voilà loin du caractère entreprenant de son frère Valère.

Faiblesse et passivité

Cette retenue devient passivité : Mariane manque de « force agissante » et il lui faut toujours un tuteur auquel s'en remettre : le Ciel (qu'elle remercie souvent, V, 5 et 6), Frosine (n'est-il pas significatif de la faiblesse de Mariane, de son apathie, qu'elle dépende d'une entremetteuse ? Elle n'accepte le diamant que lorsque Frosine l'y autorise, III, 7), Cléante enfin (IV, 1). Mariane se plaint sans lutter : à l'acte III (sc. 5), elle se dit dégoûtée par Harpagon, mais... elle ne s'enfuit pas ! Timorée, elle hésite avant d'entrer dans le jeu de Cléante lors de l'épisode du diamant (III, 7). Certes, Mariane est victime, mais peut-être d'abord victime d'elle-même. Quand elle résiste, c'est toujours avec *passivité* : elle injurie assez violemment Harpagon : « animal », « déplaisant » (III, 6), mais... tout bas ! Elle garde le diamant de l'avare, mais c'est là une vengeance par personne interposée (Cléante) et encore bien incomplète. Elle veut échapper à Harpagon, mais se contente d'encourager les autres à l'action, sans y participer activement (à Cléante : « Avisez, ordonnez vous-même. (...) Faites, agissez auprès d'elle (...), je vous en donne la licence. » ; à Frosine : « Ouvre-nous des lumières » ; IV, 1). Enfin, dans sa bouche abondent les plaintes, les phrases exclamatives ou interrogatives qui marquent son indécision (III, 4 ; IV, 1), les mots restrictifs (IV, 1). Dans le combat Harpagon-Cléante, Mariane attend passivement le vainqueur, son maître, sans révolte : faut-il y voir la résignation d'une ancienne esclave (V, 5) ?

Duplicité, ambiguïté

Pour Dullin, Mariane serait « marquée par cette ambiguïté féminine où la grâce n'exclut pas une certaine duplicité en puissance ». Si elle évoque « ses alarmes » devant le « supplice », le « tourment effroyable » qui l'attend, elle ne s'en résigne pas moins à épouser Harpagon... pour sa fortune. La conclusion ambiguë qu'elle donne à l'affaire du diamant (III, 7) (« Je prendrai un autre temps pour vous la rendre (la bague) ») montre bien qu'elle se garde une « porte de sortie » et ne renonce pas au mariage. Vite en règle avec sa conscience, elle ne semble pas haïr Frosine – et pourtant dans quelle situation l'entremetteuse l'a-t-elle conduite ! ; elle ne se scandalise ni de la grivoiserie ni du cynisme de Frosine (« Il y a quelques petits dégoûts à essuyer avec un tel époux ; mais cela n'est pas pour durer, et sa mort... », III, 4) ; mieux, elle fait preuve du même esprit de froid calcul que Frosine : « La mort ne suit pas tous les *projets* que nous faisons » (III, 4). En somme, elle accepterait de se « vendre » à Harpagon en attendant son héritage... Aurait-elle même suivi Cléante dans sa fugue (I, 2) ?

Les circonstances atténuantes

Les circonstances atténuantes ne manquent pas à Mariane : ses aventures (V, 5), sa misère (I, 2 ; V, 5), sa situation familiale et son total dévouement à sa mère ont rempli sa vie de « crainte », d'« inquiétude » (III, 4 ; III, 7). A cela s'ajoutent les pressions sociales : au XVIIe siècle, une femme seule n'a pas d'identité propre et n'en acquiert une que par le mariage ; Mariane ne peut gagner sa vie ni par le jeu ni par l'emprunt. Il semble que le malheur ait brisé en elle toute volonté de lutte et, sans le « miracle » de l'acte V, elle se laissait marier – ou sacrifier – à Harpagon.

5 Des aspects tragiques ?

▬▬▬ UNE PIÈCE DURE ?

Dans *L'Avare*, le poète allemand Goethe relève des situations « à un haut degré tragique[1] ». Pour F. Sarcey, cette comédie est « morose et chagrine[2] » et pour J. Piat, c'est « une pièce dure, sans doute la plus dure de Molière[3] ».

Certes, *L'Avare* contient tous les éléments d'un drame, mais une remarque s'impose : un sujet – même sordide – peut, selon la manière dont il est traité, devenir comique ou tragique : un jeune homme qui frappe violemment un vieillard, c'est un fait divers qui provoque l'indignation ; Scapin rosse-t-il Géronte, le vieil avare caché dans un sac ? On s'en amuse – parce que les coups ne s'abattent pas sur un homme, mais sur un pantin ridicule[4]. Comme les romantiques, jouons – pour un temps seulement – le jeu du sérieux : recherchons dans les situations et personnages de *L'Avare* ce qui a pu justifier une telle dramatisation.

▬▬▬ « UN NŒUD DE VIPÈRES »

Un vieil avare, inflexible et égoïste, tyrannise ses enfants, « vend » sa fille à un autre vieillard, se destine la fiancée de son propre fils, maudit ses enfants... Qui ne connaîtrait que ce résumé de la comédie ne s'étonnerait pas de lire : « Le *drame* de *L'Avare* est [...] celui d'une famille pervertie et désagrégée par le vice du père[5] ».

---

1. Goethe, *Conversations avec Eckermann*, 1825.
2. Sarcey (critique littéraire du XIXe siècle), *Le Temps*, 13 octobre 1873.
3. J. Piat (acteur contemporain), *Correspondance personnelle*, 1978.
4. *Les Fourberies de Scapin*, III, 2.
5. G. Bordonove, *Molière, génial et familier*, éd. Laffont, 1967, p. 350.

Comme les héros tragiques, Harpagon, tout entier absorbé par sa *passion*, se distingue de l'humanité commune. Son égoïsme, sa férocité, sa volonté de tout plier à sa soif de possession, l'apparenteraient presque aux grands monstres de Corneille, comme Cléopâtre[1], ou de Racine, comme Néron[2]. Vieillard amoureux, Harpagon pourrait rappeler le vieux roi Mithridate qui cherche à obtenir de la jeune Monime, sa fiancée, l'aveu qu'elle aime Xipharès, propre fils de Mithridate. Monime se trouble, soupçonne une ruse, mais finalement trahit son secret[3] ; ce piège ressemble à celui qu'Harpagon tend à Cléante, pour obtenir de lui un aveu identique (IV, 3). Par jalousie, Harpagon se dissimule pour mieux surveiller Cléante, en conversation avec Mariane (IV, 2) ; de même, Néron, amoureux de Junie, épie, derrière une tenture, l'entretien de la jeune fille et de son amant Britannicus. Bien que Molière situe la demeure du bourgeois Harpagon dans quelque quartier de Paris, l'*atmosphère* qui y règne pourrait rappeler celle du sérail du sultan Amurat dans *Bajazet*[4]. Chez Harpagon, note Dullin, « les recoins sont hostiles » : comme dans le palais oriental, on étouffe chez notre avare, on y craint le maître, on s'y sent épié, on y parle à voix basse (I, 4), et les affrontements n'en prennent que plus de force (II, 3 ; IV, 3). La *décomposition des sentiments familiaux*, évoquée plus haut, apparaît d'autant mieux, si l'on compare Harpagon, père dénaturé, à Géronte, le vieil avare des *Fourberies* : ce dernier, malgré bien des réticences, finit par donner une importante rançon pour racheter son fils que Scapin prétend enlevé par des pirates (II, 7). Songeons aussi à Argan, en qui les maladies imaginaires n'ont pas tué toute tendresse paternelle : en effet, il se désole quand il croit avoir tué sa petite Louison[5].

Dans *L'Avare* revient fréquemment le thème de la *mort* : Cléante attend celle de son père, Harpagon en menace tout un chacun, regrette qu'elle ait épargné Élise. C'est sur un arrière-plan de malheurs – séparations, captivité, existence précaire de Mariane et de sa mère – que se noue la *crise* qui risque de briser le bonheur des jeunes gens.

---

1. Corneille, *Rodogune* (1664).
2. Racine, *Britannicus* (II, 6), 1669.
3. Racine, *Mithridate* (III, 5), 1673.
4. Racine, *Bajazet* (1672).
5. *Le Malade imaginaire* (II, 8).

6 Le comique

En prenant l'avarice comme thème pour une comédie,
Molière a-t-il joué à l'apprenti sorcier ? A-t-il été entraîné
malgré lui loin de son but : faire rire ? Au contraire, il a réussi
« à faire rire de tout ce nœud de vipères par la force même des
situations comiques[1] ».

■■■■ PLUSIEURS TYPES DE COMIQUES

Pour le philosophe Bergson, le comique naît de l'impression
de « mécanique plaqué sur du vivant[2] ». C'est à ce côté
mécanique que la caricature doit sa force comique ; or,
presque tout, dans L'Avare, est excès.

Le comique immédiat : décors et acteurs

Le lecteur de L'Avare rit peu, car il est difficile de « découvrir
dans la lecture tout le jeu du théâtre[3] » ; pour rire franchement,
il faut devenir spectateur. En effet, le metteur en scène peut
jouer sur les décors : on imaginerait facilement la maison
d'Harpagon bardée de serrures et garnie de meubles branlants
ou vermoulus (Dullin, pour sa part, imagine un « mur épais et
hérissé de défenses » et, à la porte, un judas). Pour les costumes, Molière lui-même donne des indications : Harpagon est
vêtu de façon ridicule et anachronique ; les larges trous et la
tache d'huile qui déparent les livrées de ses domestiques (III,
1) sont des marques concrètes de grossissement comique. On

---

1. P.-A. Touchard, *Théâtre de Molière*, Club des Libraires de France,
Collection « Théâtre », 1958, Tome IV, p. 457.
2. Bergson (1859-1941), *Essai sur le Rire*.
3. Molière, *Préface à l'Amour médecin*, 1665.

peut aussi tirer parti du *physique* même des acteurs : un Maître
Jacques ridiculement gros — ou au contraire excessivement
maigre —, un Harpagon laid, à la barbiche minuscule (comme
celle qu'arborait J. Vilar), aux cheveux rares et tout raides, qui
se pavane quand Frosine lui parle d'un « beau vieillard avec
une barbe majestueuse » (II, 5), un La Flèche boitant et
louchant à l'excès (comme Béjart) provoquent le rire avant
même de parler, par leur présence même.

La bouffonnerie d'une farce

L'Avare abonde en procédés de farce qui réjouissaient les
publics les plus variés. La farce mettait en scène des personnages bouffons — sortes de marionnettes ou de mécaniques
humaines — tels que Pantalon ou Arlequin, qui multipliaient les
lazzis (acrobaties et pitreries) qui déchaînaient un bon rire
franc.

● Des airs de marionnettes humaines

Presque tous les personnages de *L'Avare*, à un moment ou
à un autre, se comportent en pantins, mais c'est Harpagon qui,
presque toujours, donne le plus l'impression d'agir comme un
pantin, dont le ressort serait son idée fixe : l'avarice. Voilà
pourquoi le personnage qui devrait nous paraître le plus
angoissant nous fait rire le plus : quand il s'éclipse subitement
pour un petit tour vers sa cassette, nous pensons à ces petits
sujets qui disparaissent ou apparaissent au gré des heures
dans les pendules à coucou. Son cerveau ? Une machine à
calculer qui inscrit à tout moment les chiffres des taux d'intérêt
(I, 4).

Tous les traits d'Harpagon sont tellement grossis qu'au lieu
d'effrayer, ils réjouissent : excès dans l'agitation, dans la colère,
dans l'égoïsme inconscient ; excès dans la folie — « pathologie
comique », selon Dullin — qui culmine dans son monologue
(IV, 7) ; excès dans la naïveté (il faut voir comme il gobe les
compliments de Frosine, II, 5) ; excès dans la galanterie
burlesque (III, 5) ; enfin excès dans la cruauté et l'insensibilité.

● Les marionnettes et les gestes

Dans la farce, lors des épisodes muets, tout le comique
reposait sur les gestes et les mimiques ; une marionnette

n'est-elle pas, avant tout, mouvement ? Ainsi, dans *L'Avare*, le mime rendrait compte d'une bonne part du comique : les coups de bâton (I, 3 ; III, 1 ; III, 2), même s'ils ne sont qu'imminents (IV, 3), les chutes grotesques (Harpagon, bousculé par La Merluche, s'étale lamentablement : III, 9), les courses fébriles du vieillard (l'agitation perpétuelle, le « tourbillon » qu'est Harpagon ne tiennent même plus compte des réalités physiologiques de son grand âge...).

L'Avare comporte bien d'autres lazzis : le « gag » des autres mains (I, 3) (il faut supposer que La Flèche cache à nouveau ses mains derrière son dos pour être en mesure d'en montrer « d'autres » ou présente les paumes, puis le dessus de ses mains, et il faut y voir non pas un détail « lourd et inintelligible[1] », mais un jeu de scène cocasse parce qu'absurde) ; l'alternance « visage sévère »/« air gai » (II, 5) d'Harpagon au rythme des répliques de Frosine a le même effet comique que le sketch du célèbre mime Marceau qui, passant sa main sur son visage, fait se succéder un masque triste à l'expression désespérée et un masque comique hilare : Molière, au visage si mobile, n'hésitait vraisemblablement pas à accentuer cette transformation rapide et burlesque. Lorsque Harpagon « met son chapeau au-devant de son pourpoint, pour montrer à Brindavoine comment il doit faire pour cacher la tache d'huile » (III, 1), lorsque, plus loin (IV, 7), il se prend le bras, croyant tenir son voleur, ces jeux de scène déclenchent le rire.

● **Les marionnettes et les mots**

De muet, le lazzi est devenu dialogue ; ainsi le langage des personnages de *L'Avare* reflète souvent comiquement leur côté mécanique. Les tics verbaux d'Harpagon, ses injures répétées inlassablement – miroirs de ses obsessions : « pendard », « coquin »... – font rire comme un mécanisme bien remonté. Le « sans dot » (I, 5), déjà amusant en lui-même, le devient encore plus par sa répétition. On s'amuse aussi du pouvoir presque magique de ces mots que nous avons appelés les « mots-déclics » : il suffit que La Flèche murmure les mots « voler », « avarice », « avaricieux » (I, 3), que Maître Jacques (IV, 1) ou Frosine (II, 5) parle d'« argent » pour qu'Harpagon sursaute ; à l'inverse, les compliments ou les

---

1. Arnavon, *Notes sur l'interprétation de Molière*, p. 217.

chiffres le font aussitôt frétiller d'aise. Qu'on puisse à volonté déclencher, par un simple mot, des réactions extrêmes, voilà qui est comique.

Enfin, les mots amusent aussi par leur excès : les hyperboles (ou exagérations : « je suis mort, je suis assassiné », IV, 7), les injures, les compliments outrés (de Frosine à Harpagon : II, 5 ; d'Harpagon à Mariane : III, 5) réjouissent comme une caricature bouffonne du langage.

Un comique plus fin

L'Avare comporte aussi un comique moins franc, un sourire qui le rattache aux « grandes comédies », *le Misanthrope, Tartuffe, Dom Juan*.

Molière, dans *L'Avare*, s'amuse souvent à *parodier*, c'est-à-dire à imiter pour s'en moquer sans méchanceté, les romans précieux qui charmaient ses contemporains : Cléante et même Valère s'expriment parfois comme des héros du *Grand Cyrus* ou de *L'Astrée*[1] où abondaient enlèvements, fugues, déguisements... A ce comique élaboré de parodie, on peut rattacher les passages où Valère imite, en sa présence, le propre langage d'Harpagon qui « n'y voit que du feu ».

Le spectateur entre dans le jeu des *discours à double entente*, comme les déclarations passionnées de Cléante à Mariane, à la barbe d'Harpagon (III, 7) (voir aussi fin de I, 5, et Cléante, début de III, 1).

Certains traits, dans les *caractères*, ont un côté plaisant moins appuyé que dans les farces : on sourit de l'enthousiasme communicatif avec lequel Cléante dépeint Marianne (I, 2), de la naïveté de Maître Jacques (III, 1), de l'indignation pleine de vivacité de Valère (V, 5)... Certaines répliques d'Harpagon ne manquent pas d'humour involontaire : que sont les « sueurs » dont il parle à Cléante (celles d'un usurier... II, 2) ? Quelles sont les « leçons » qu'il a su donner à Élise (V, 4) ?

Enfin, le dénouement, avec ses joyeux rebondissements, met le spectateur dans l'euphorie.

---

1. Mlle de Scudéry, *Le Grand Cyrus* (1649-1653) ; H. d'Urfé, *L'Astrée* (1607-1624).

■■■■■■ QUELQUES PROCÉDÉS COMIQUES

L'acteur Michel Bouquet nous parlait de Molière comme d'un grand « architecte » et de *L'Avare* comme d'une « merveille de la mécanique du rire » *(Correspondance personnelle)*. Il faut retenir de ces affirmations l'idée d'une technique que Molière possédait à fond ; au rythme des voyages de l'Illustre Théâtre, au contact d'un public varié, Molière a reconnu et éprouvé les procédés comiques qui font immanquablement rire.

L'accumulation

Le caractère machinal de l'énumération ou de l'accumulation d'éléments d'un même ordre, poursuivie au-delà de ce qu'on attendrait, fait, à coup sûr, naître le rire. On en trouve, dans *L'Avare*, différents exemples : la galerie de portraits mythologiques mentionnés par Frosine (II, 5) montre qu'il n'est pas nécessaire d'allonger indéfiniment une liste pour faire sourire : « Des Adonis ? des Céphales... » Cependant, lorsque le procédé prend de l'ampleur, son effet comique en est renforcé d'autant ; deux comparaisons le confirment : d'abord, celle de la version originale de la scène 1 de l'acte III et de l'édition de 1734 : la première ne comportait pas la liste complète des plats proposés par Maître Jacques, qu'on trouve dans la seconde. Or la présence de l'accumulation rend la scène bien plus comique et, loin de l'alourdir, lui évite, selon Dullin, de « tourner court », l'allège (par le rire libérateur) ; elle rend également les réactions d'Harpagon beaucoup plus violentes et le spectateur s'amuse encore plus à sentir l'avare bouillir intérieurement au fil de cette énumération qui le torture et l'empêche « d'exploser[1] ».

La deuxième comparaison oppose la scène 1 de l'acte II de *L'Avare* et une scène analogue de *La Belle Plaideuse* qui a pu inspirer Molière : on rit beaucoup plus avec Molière, grâce à

---

1. Même si l'édition originale ne comporte pas ce passage, on peut imaginer que la troupe de Molière, familiarisée avec l'improvisation de la commedia dell'arte, ne se gênait pas pour « allonger la sauce » (sans jeu de mots !) à sa volonté à cet endroit précis, selon les réactions favorables du public.

l'accumulation détaillée des « hardes » et à l'exaspération qu'elle suscite sur les nerfs à fleur de peau de Cléante.

Mets, hardes, mais aussi chiffres (la « dot fantôme » de Frosine, II, 5), tout, pour Molière, peut donner lieu à accumulation comique, jusqu'aux griefs que Maître Jacques assène sans frein à Harpagon (III, 1). Sur le dénouement lui-même rejaillit le comique des reconnaissances à répétition, accumulation de situations (V, 5).

Ballets et symétries

Molière et ses contemporains appréciaient vivement les divertissements chantés et dansés. Pour répondre à ce goût, Molière composa parfois, sur des musiques de Lulli, les livrets de ballets charmants et poétiques, mais, le plus souvent, il introduisait, entre les actes des comédies, des intermèdes dansés, dont le comique provenait essentiellement de la symétrie des pas et des mimiques *(cf. Le Malade imaginaire)*.

Pas de ballets proprement dits dans *L'Avare*, mais, partout, les personnages dansent – solos ou pas de deux, pas de... trois même ! – au rythme de répliques symétriques. Parfois fugitive *(cf.* le « pas de danse » (Dullin) qu'esquisse Harpagon quand Frosine lui demande : « Tournez-vous un peu, s'il vous plaît » (II, 5) et qu'interrompt une grotesque quinte de toux : « Il n'y a que ma fluxion... »), cette figure gagne en comique lorsque les gestes soulignent mécaniquement les analogies de tournures grammaticales ou stylistiques : exclamations, dénégations... La représentation graphique de certains passages le montre :

● **I, 4** Élise résiste à son père qui s'obstine à la marier à Anselme. Tous deux se font des « révérences », celles d'Harpagon vraisemblablement grotesques et exagérées.

Élise	Harpagon
– Je ne veux point...	– Je veux que...
– Je vous demande pardon, mon père...	– Je vous demande pardon, ma fille...
– Avec votre permission, je ne l'épouserai point...	– Avec votre permission, vous l'épouserez dès ce soir...
– Dès ce soir ?...	– Dès ce soir...

● **II, 2** Cléante et Harpagon se lancent des imprécations dont la violence progresse parallèlement, empruntant les mêmes tours de style :

Harpagon	Cléante
– Comment, pendard ? c'est toi qui t'abandonnes à ces coupables extrémités ?	– Comment, mon père ? c'est vous qui vous portez à ces honteuses actions ?
– C'est toi qui te veux ruiner par des emprunts si condamnables ?	– C'est vous qui cherchez à vous enrichir par des usures si criminelles ?

● **II, 5** Harpagon prend un air gai/Frosine demande de l'argent. Harpagon prend un air sévère/Frosine recule et le complimente. Ballet symétrique des visages et des mots.

● **III, 2** Maître Jacques querelle Valère (« Monsieur le nouveau venu »), qui lui répond symétriquement (« Monsieur le rieur ») ; tout à coup, mouvement inverse : c'est Valère qui menace.

● **IV, 4** La symétrie se complique, surcroît de comique : on peut faire de la scène où Maître Jacques tente de maintenir l'équilibre entre le père et le fils en colère un vrai « ballet endiablé », une « tabarinade » (Dullin). En fait, la symétrie se dédouble ; entre les répliques d'Harpagon et celles de Cléante, et entre les propres paroles de Maître Jacques.

Harpagon	Répliques de Maître Jacques à Harpagon	à Cléante	Cléante
– J'aime une fille... et le pendard a l'insolence de...	– Ah ! il a tort.	– Il a tort assurément.	– Je suis épris d'une jeune personne... et mon père s'avise de...
– N'est-ce pas une chose épouvantable... ?	– Vous avez raison.	– Vous avez raison.	– N'a-t-il point de honte, à son âge... ?
– Ah ! dis-lui, maître Jacques...	– Laissez-moi.	– Cela est fait.	– Ah ! maître Jacques, tu lui peux assurer...

Maître Jacques, tel un balancier, se déplace entre les deux adversaires, de plus en plus vite, jusqu'à ce qu'il trouve un point d'équilibre.

Bel édifice comique, d'autant plus qu'il va... crouler et laisser place à une nouvelle symétrie, mais plus simple.

● **IV, 5** Harpagon et Cléante se réconcilient, avec force courbettes :

Cléante	Harpagon
– J'en ai tous les regrets du monde...	– Et moi, j'ai toutes les joies du monde...
– Je vous promets, mon père...	– Et moi, je te promets...

Mais le ballet se transforme brutalement en bataille ; attaques et ripostes bouleversent la symétrie, le mouvement s'affole. C'est presque du Guignol (et non une scène « à un haut degré tragique ») : les injures remplacent le bâton[1].

L'Avare : non pas une comédie-ballet, mais une comédie parsemée de « ballets », de symétries qui contribuent à alléger la pièce, à lui donner son rythme allègre, et ne sont pas passés de mode.

Les renversements comiques

Molière connaît un moyen efficace de renouveler le comique d'un personnage qui agit mécaniquement : c'est d'en inverser à l'improviste le « fonctionnement ».

Harpagon étouffe de colère, il chasse tout le monde, et en particulier La Flèche : par deux fois, il lui ordonne de sortir ; à la troisième fois... il se contredit et le rappelle (« Attends ! » ; I, 3) ; la suite de la scène oppose un fouilleur enragé à un fouillé qui ne cesse de maugréer ; or voici que, soudain, le fouillé montre de la bonne volonté, offre de lui-même une poche à scruter, et que le coléreux prend un ton câlin : « Allons, rends-le-moi sans te fouiller. »

Maître Jacques joue au fier-à-bras, dénonce énergiquement Valère, l'accable ; il suffit que se profile la silhouette de l'intendant pour que ce Matamore devienne le pire des

---

1. A ce type de comique se rattache celui de la « symétrie déviée » des transpositions ou traductions de mots (III, 6).

froussards : « Ne lui allez pas dire (...) que c'est moi qui vous ai découvert cela » (V, 2). On dirait Guignol qui aperçoit le gendarme.

L'avarice d'Harpagon ressemble à un ressort remonté qui se détend tout à coup : c'est en « lettres *d'or* » qu'il veut « faire graver » la maxime énoncée par Valère (III, 1) ; cette situation cocasse d'un avare prodigue, nous la retrouvons dans la scène du diamant qu'Harpagon offre à Mariane, bien malgré lui (III, 7).

Après le vol de la cassette, Harpagon mène une enquête fiévreuse ; or, dans l'interrogatoire qu'il fait subir à Maître Jacques, les rôles sont plaisamment inversés : d'accusé, le cuisinier devient enquêteur et Harpagon répond naïvement à ses questions (V, 2).

Plus généralement, ce sont les « failles » d'Harpagon qui le rendent comique : avare volé, méfiant berné, amoureux déçu, tyran joué...

Les quiproquos

Le terme de *quiproquo* désigna d'abord une erreur matérielle (en pharmacie : confusion de deux produits), puis, en particulier au théâtre, une situation aussi appelée *malentendu* : un personnage prend une personne ou une chose pour une autre. Ce procédé a été utilisé, dès les débuts du théâtre, pour son efficacité comique : c'est dans Plaute que Molière a trouvé l'idée du long quiproquo de l'acte V (sc. 3) : l'avare, trompé par Maître Jacques, reproche à Valère son « crime » ; pour Harpagon, c'est le vol de la cassette ; pour le jeune homme, son amour pour Élise. Deux brefs quiproquos l'ont précédé : ils ouvrent la scène 2 de l'acte V : Maître Jacques entre en scène en criant : « Qu'on me l'égorge tout à l'heure... » ; pour qui ce traitement énergique ? Harpagon, évidemment, le croit destiné à son voleur ; le cuisinier le réserve tout simplement à un cochon de lait. Aussitôt après, nouvelle méprise : maître Jacques s'entête à voir dans le Commissaire qui accompagne Harpagon un « invité-surprise » pour le fameux souper.

Le quiproquo entre Valère et Harpagon s'étend sur quatre scènes : comment Molière a-t-il réussi ce tour de force comique ? Deux mots pourraient tout éclairer : « cassette », « fille » ; ils sont soigneusement – au début du moins –

remplacés par des termes indéterminés ou ambivalents : « cette action », « l'attentat », « le crime », sans que leur objet soit précisé, tant il est clair pour l'un et pour l'autre. Lorsque la méprise est bien installée, Molière s'amuse à frôler plusieurs fois le point de rupture en abandonnant le vocabulaire équivoque et en introduisant malicieusement des mots de plus en plus « spécialisés » qui menacent dangereusement l'équilibre instable du quiproquo : « les yeux », « l'argent », et même le mot « fille ». Le comique naît de ce que chaque personnage « absorbe » même les absurdités dans son propre système de pensée pour rétablir cet équilibre, ou encore les exclut tout simplement : aux deux tiers de la scène, Valère assure Harpagon de l'innocence de sa « *fille* » ; loin de dresser l'oreille, Harpagon écarte avec mépris cette allusion : « Je le crois bien, vraiment... ». Les protestations d'amour enflammées que Valère formule en pensant à Élise ne choquent pas Harpagon qui les croit destinées, tout logiquement pour lui, à sa cassette, lui qui parle de sa *chère* cassette » aussi vitale que son « sang », ses « entrailles ».

Pourquoi rit-on d'un quiproquo ? On rit, bien sûr, de ce dialogue de sourds – le plus souvent invraisemblable – en savourant le plaisir d'être le seul à connaître la vérité, alors que, sur scène, sans s'en douter, les personnages pataugent dans l'erreur. On peut proposer une autre explication plus complexe : le quiproquo serait une caricature comique de la difficulté, voire l'impossibilité des humains à communiquer vraiment entre eux. Pour renforcer l'efficacité comique du quiproquo, Molière y entremêle des *effets secondaires* : c'est l'attitude conciliante de Valère qui plaide coupable avec circonstances atténuantes (ce qui redouble la violence d'Harpagon : comique d'opposition) ; ce sont les apartés intrigués d'Harpagon qui mettent en valeur l'absurdité de la situation (« Brûlé pour ma cassette ! ») ; ce sont enfin les équivoques grivoises que Molière ajoute à plaisir : « Tu n'y as point touché ?... »

7 Thèmes principaux

Dans *L'Avare*, Molière cherche avant tout à faire rire ; cependant – sans vouloir nous donner des « leçons de morale » – il laisse paraître certaines de ses idées qui, nées de son expérience, peuvent encore nous inviter à la réflexion.

■ FAMILLE ET AUTORITÉ ; LIBERTÉ ET CONTRAINTE

J.-J. Rousseau reprocha à Molière de « tourner en dérision les respectables droits des pères sur les enfants, des maris sur leurs femmes, des maîtres sur leurs serviteurs[1] ».

Cette critique, souvent reprise, se justifie-t-elle pour *L'Avare* ? Molière n'est pas un révolutionnaire qui veut supprimer *autorité paternelle et famille*. Il veut seulement les rendre tolérables. Dans *L'Avare*, à la détestable famille d'Harpagon, il oppose celle d'Anselme où l'affection a persisté malgré les malheurs (V, 5-6). Anselme représente le bon père, aimant et aimé, heureux de retrouver ses enfants. Il existe donc, pour Molière, une bonne et une mauvaise façon d'être père : ce sont bien la cruauté d'Harpagon, son autorité qui ont suscité la crise à laquelle nous assistons.

C'est en particulier au moment du *mariage* de ses enfants qu'un père peut faire un bon ou un mauvais usage de son autorité. Quelles considérations doivent le guider ?

Valère, sur ce point, semble exprimer la pensée de Molière : pour raisonner Harpagon, il insiste sur l'importance de l'enjeu du mariage : « Il y va d'être heureux ou malheureux *toute sa vie* » ; puis il parle d'une « inclination » (= amour) à respecter et d'« égards » à prendre (I, 5). Quand Marianne lui demande l'autorisation de se marier, Anselme réagit comme Molière le

1. Rousseau, *Lettre à d'Alembert sur les spectacles*, 1758.

souhaite : « Le ciel, mes enfants, ne me redonne point à vous pour être contraire à *vos vœux* » (V, 6). Le père idéal ne doit ni imposer un conjoint conforme à ses propres vœux ni s'opposer aux sentiments spontanés de ses enfants : à eux de choisir... Un instinct sûr les guidera pour assurer à leur couple l'*harmonie indispensable* : en effet, Molière souligne les dangers d'une trop grande différence « d'âge, d'humeur et de sentiment » (I, 5) entre les époux : marié à une femme de 20 ans plus jeune que lui, coquette et infidèle, il en a fait la triste expérience. Anselme le sent bien : « Seigneur Harpagon, vous jugez bien que le choix d'une jeune personne tombera sur le fils plutôt sur le père » (V, 6). En somme, dans *les rapports sociaux*, ce que Molière condamne, c'est la contrainte, source de désordres ; ce qu'il souhaite, c'est l'harmonie, où les penchants naturels de tous les individus peuvent s'épanouir. Voici les « *formules* » que l'on peut tirer de *L'Avare* :

Dans la famille ⎰ confiance → fidélité → harmonie (V, 4 et 5)
et dans la société ⎱ contrainte → haine et → désordres (I,2 ; II,2)
                                    révolte

▰▰▰▰ PASSIONS ET BONHEUR

Dans *L'Avare*, de violents conflits provoqués par des passions opposées détruisent l'harmonie que recherche Molière. Blâmerait-il indistinctement les passions et les sentiments violents ? En fait, Molière condamne les passions nuisibles à autrui : celles d'Harpagon – l'amour de l'argent, la colère – rendent les jeunes gens malheureux ; on s'attendrait à ce qu'Harpagon lui-même tire de cet argent quelque bonheur : or il ne jouit finalement de rien de ce qu'il possède, car la peur le traque à tout instant. Quelle différence entre la satisfaction violente mais éphémère d'Harpagon qui récupère sa cassette et *le vrai bonheur*, dont parle Valère, fait « d'honneur, de tranquillité et de joie » (I, 5). Une seule passion est compatible avec cet idéal et a droit à l'indulgence de Molière : c'est l'*amour partagé*, ce « dieu qui porte les excuses de tout ce qu'il fait faire » (V, 3), à plus forte raison quand il touche des êtres jeunes. Pour atteindre cette félicité, tout est permis, même la ruse.

■■■■■ RUSE ET SINCÉRITÉ

Que de ruses dans *L'Avare* ! : celle de Valère – déguisé en intendant –, celle de Frosine (IV, 1) (à l'état de projet), celle de Maître Jacques qui accuse faussement Valère, celles d'Harpagon. Indignés par cette atmosphère de fausseté, certains, comme Rousseau, ont reproché à Molière d'avoir fait là l'apologie de la fourberie : ne fait-il pas dire à Valère : « La sincérité souffre un peu au métier que je fais ; mais quand on a besoin des hommes, il faut bien s'ajuster à eux » (I, 1) ? Quelques nuances s'imposent : pour Molière, certaines situations justifient la ruse : comment se défendre autrement contre Harpagon ? Le bonheur avant tout. Au contraire, la ruse de Maître Jacques, que rien n'excuse (il ne défend pas son bonheur), échoue piteusement : c'est lui qu'Harpagon « donne à pendre » au Commissaire (V, 6) ! En fait, *L'Avare*, loin de montrer le triomphe de la duplicité, en établit *l'inutilité* : Valère porte un « masque », mais il ne lui sert à rien ; ce n'est pas sa ruse qui le sauve mais le hasard. Seule la ruse de La Flèche réussit : elle « violente et vainc » (Dullin) l'avarice d'Harpagon. Mais il s'agit d'une fourberie « à la Scapin », celle d'un valet de comédie à qui tout est permis et non d'un calcul hypocrite « à la Tartuffe ».

8 Mises en scène

Parce que « les comédies ne sont faites que pour être jouées[1] », il convient de prendre le point de vue du metteur en scène et de rechercher comment ont travaillé Molière, mais aussi ses successeurs.

LA MISE EN SCÈNE DE MOLIÈRE

Aucun manuscrit, aucune correspondance pour nous éclairer, sinon, pour les *décors* et les *accessoires*, les maigres indications de Mahelot : « Le théâtre est une salle et, sur le derrière, un jardin. Il faut deux souquenilles, des lunettes, un balai, une batte, une cassette, une table, une chaise, une écritoire, du papier, une robe, deux flambeaux, la table du cinquième acte. » Nous connaissons également le *costume* que portait Molière pour jouer Harpagon. Quant aux *jeux de scène*, seuls font l'objet d'une certitude ceux que mentionne expressément le texte : les révérences (I, 4), les coups, les chutes, etc.

Vraisemblablement encouragés par ce manque d'indications précises, les *successeurs de Molière* se permirent de donner, de *L'Avare*, des interprétations variées ou totalement opposées. On alla même jusqu'à supprimer les deux premières scènes, où Valère révèle, entre autres, qu'il recherche ses parents ; on voit l'absurdité de ces « tripotages » : les reconnaissances du dénouement deviennent alors incompréhensibles.

---

1. Molière, Préface à *L'Amour médecin*.

On retrouve, dans les mises en scène, le balancement entre un *Avare* « sombre » et un *Avare* comique. Quelques détails précis permettront de mieux imaginer ces diverses interprétations[1].

■■■■■ AU XVIIIᵉ : DE LA COMÉDIE À LA FARCE

Au XVIIIᵉ siècle, les acteurs ajoutèrent de nombreux *jeux de scènes comiques* devenus traditionnels :

> « Jeux de scène traditionnel que celui du chapeau que Maître Jacques froisse dans le feu de son récit et qu'Harpagon lui arrache (III, 1). Jeu de scène traditionnel que les révérences d'Harpagon, destinées à Mariane alors que, devant l'avare courbé en deux, Frosine vient à chaque fois prendre la place de la jeune fille. Jeu de scène traditionnel que celui d'Harpagon tirant de sa poche un tout minuscule mouchoir[2]. Jeu de scène traditionnel encore, conçu pour animer un dénouement réputé languissant, que celui des chandelles : pendant la scène avec le Commissaire, Harpagon souffle une des deux bougies allumées sur la table ; Maître Jacques la rallume et Harpagon l'éteint tout aussitôt ; Maître Jacques la rallume encore ; Harpagon la souffle et place cette bougie éteinte dans son haut-de-chausses, la laissant dépasser. Maître Jacques alors rallume une nouvelle fois, et Harpagon, rencontrant la flamme, finit par enfouir la chandelle au fond de sa poche[3] ».

On vit aussi Cléante sauter de joie sur les épaules de La Flèche, après le vol de la cassette (IV, 6). En 1921, G. Baty donna à *L'Avare* le mouvement de la comédie italienne ; il accentuait en particulier le côté fantaisiste des reconnaissances : Anselme devenait un matamore grotesque et la pièce s'achevait « dans un joyeux fracas de sauteries de clowns et d'embrassades comiques[4] ». Dans le monologue, Harpagon, « multipliant les contorsions, s'enfermait par mégarde dans un coffre vide ». Dullin rejeta les jeux de scène traditionnels, mais en imagina d'autres. Harpagon vient de découvrir la dispari-

1. Pour tout ce chapitre, voir l'intéressant ouvrage : *Les Grands rôles du théâtre de Molière*, par M. Descotes, P.U.F., 1960, p. 131 à 150.
2. Coquelin cadet (1848-1909) corsait le jeu en tirant de sa poche une bourse et, de la bourse, un mouchoir minuscule.
3. M. Descotes, op. cit., p. 136-137.
4. M. Descotes, op. cit., p. 148.

tion de la cassette : « Il court comme un fou vers toutes les issues : *il aperçoit son ombre sur le mur* ; dans son égarement, il veut la saisir et se prend lui-même le bras[1] ». A l'acte II : « La Flèche monte sur l'escabeau et finit de lire le mémoire debout à la façon d'un commissaire-priseur » (sc. 1) ; plus loin, Harpagon revient du jardin (II, 5) : « Il entre (...) en s'essuyant les mains avec son mouchoir. On doit sentir qu'il vient de remuer la terre autour de sa cassette ». A la fin de la scène 1 de l'acte III, Valère « se glisse et met la canne » dans la main d'Harpagon pour qu'il batte Maître Jacques (sc. 1) ; dans sa chute (III, 9) Harpagon perd une chaussure, Valère « l'aide à se rechausser ».

■■■■■■ AU XIXe : VERS LE DRAME

Avec les acteurs des drames romantiques (où abondaient meurtres et traîtres), Harpagon devint un personnage sinistre, « à la voix incisive et mordante[2] » qui hurlait tragiquement son monologue. Récemment encore, on vit un Harpagon à la mise simple, mais décente, sans rien de ridicule. Dans l'interprétation de Denis d'Inès, un rictus étrange de déséquilibré mental déformait son visage blafard. Parfois, on affublait le personnage d'une longue barbe blanche. Dans le monologue, pour accréditer la thèse d'une authentique crise de folie, on supprimait les jeux de scène, on recourait à des artifices : Harpagon, revenant du jardin, se heurtait à un miroir, « se voyait lui-même sans se reconnaître[3] ».

■■■■■■ AU XXe : ENTRE RIRE ET TRAGIQUE

Ce mouvement de balancier entre le rire et le tragique continue : en 1962, G. Chamarat incarne un avare bouffon (mise en scène : J. Mauclair) : « On s'amuse fort de ce

1. Dullin, op. cit., p. 139.
2. M. Descotes, op. cit., p. 144. Il s'agit de l'interprétation de Leloir de 1880 à 1909.
3. M. Descotes, op. cit., p. 147, interprétation de Signoret (1928).

tourbillon perpétuel qui se bouscule autour du vieux grigou[1] ».
En 1969, J.-P. Roussillon (pourtant La Flèche de la mise en
scène précédente) monte à son tour la pièce mais « prend un
risque de taille, puisque Molière y cesse pratiquement de faire
rire[2] ». Certains le félicitent : « Il élargit la pièce, en lui donnant
une atmosphère prébalzacienne[3] » ; pour d'autres, Molière
était « trahi dans sa propre maison[4] ».

En 1979, Louis de Funès a voulu rendre un hommage
appuyé à Molière et faire découvrir *L'Avare* à un large public
en faisant une superproduction filmée. De Funès-Harpagon
s'agite, grimace comme il savait si bien le faire mais la
surabondance des gags, des effets et des trucages n'ajoute
rien à la pièce et ralentit souvent inutilement son rythme.

En 1989, Jacques Mauclair revient à *L'Avare* : il joue
Harpagon et signe la mise en scène. Dans un décor contemporain – début de ce siècle –, vaguement vieillot et réduit à sa
plus simple expression, il campe un Harpagon plus jeune
d'esprit et plus joyeusement astucieux que ses enfants – un
grand dadais et une donzelle sans cervelle. Avare sans complexe, débordant de vitalité, il emporte paradoxalement notre
sympathie : la morale n'est pas sauve mais le comique y trouve
son compte.

1. *Aux Écoutes*, 2-2-1962.
2. *Le Monde*, B. Poirot-Delpech, 24-10-1969.
3. *Le Figaro littéraire*, J. Lemarchand, 24-11-1969.
4. *L'Aurore*, A. Ransan, 24-9-1969.

BIBLIOGRAPHIE, FILMOGRAPHIE ET DISCOGRAPHIE

Études générales : vie, œuvres et idées de Molière

– M. Descotes, *Les Grands rôles du théâtre de Molière* (PUF, 1960). Étude précieuse et vivante des différentes interprétations et des problèmes concrets rencontrés par les acteurs.
– *Revue d'histoire littéraire*, décembre 1972 : numéro consacré à Molière.
– G. Defaux, *Molière ou les métamorphoses du comique* (1982, USA, Lexington).
– S. Chevallet, *Molière, sa vie, son œuvre* (Birr, 1984). Molière vu par la bibliothécaire-archiviste de la Comédie-Française.
– J. Truchet, *Thématique de Molière* (SEDES, 1985).

L'Avare : éditions préfacées et commentées

– C. Dullin, *L'Avare* (Mises en scène, 1946). *L'Avare* vu par un metteur en scène. Indispensable pour monter la pièce.
– Molière, *Œuvres complètes* (Garnier, 1962), par R. Jouanny.
– Molière, *Œuvres complètes*, Bibliothèque de la Pléiade (Gallimard, 1971), par G. Couton. Une mise au point complète et convaincante, comprenant une ample bibliographie.
– Molière, *L'Avare* (Livre de poche, 1986), préface par R. Planchon.

Films et vidéofilms

– *L'Avare*, mise en scène de Jean Vilar, avec Jean Vilar, Jean-Pierre Cassel et Rosy Varte (1975), vidéofilm.
– *L'Avare*, mise en scène de Jacques Mauclair, avec Jacques Mauclair dans le rôle d'Harpagon (1989), vidéofilm.
– *L'Avare*, mise en scène de J.-P. Roussillon, par la Société des Comédiens Français, J. Eyser, M. Aumont, F. Huster, F. Seigner, I. Adjani (Institut National de la Communication), vidéofilm.
– *L'Avare*, mise en scène de Louis de Funès et Jean Girault, avec L. de Funès dans le rôle d'Harpagon et C. Gensac, M. Galabru ; film de Christian Fechner.

Cassettes audio

– *L'Avare*, cassette Radio-France, France culture/Comédie Française.
– *L'Avare*, ES Hachette/Auvidis, coll. « Vie du théâtre » (2 cassettes, H 7906). Avec les voix de Maurice Baquet, Jean Desailly, Françoise Rosay, Simone Valère...

INDEX DES THÈMES ET NOTIONS

LITTÉRATURE

FORMATION

Imprimé en France par l'Imprimerie Hérissey - 27000 Évreux
Dépôt légal : 18200 – Avril 2000 – Nº d'impression : 86787